MÉTHODE INFAILLIBLE
POUR GAGNER À LA BOURSE

Georges Labrecque

MÉTHODE INFAILLIBLE POUR GAGNER À LA BOURSE

MONTRÉAL   PARIS   NEW YORK

Couverture : Réalisations de Palma

Diffusion canadienne :
QUÉBEC LIVRES
4435, boul. des Grandes Prairies
Montréal (Québec)
(514) 327-6900

Tous droits de reproduction, de traduction
et d'adaptation réservés pour tous pays.

© 1984 Éditions Inter Enr.

ISBN 2-920670-04-2

Dépôt légal : 3ᵉ trimestre 1984
Bibliothèque nationale du Québec

Imprimé au Canada

*À la bourse, on ne fait pas d'argent
quand on veut, mais on peut, aux
moments propices, choisir d'en faire
et d'en faire beaucoup.*

TABLE DES MATIÈRES

PREMIÈRE PARTIE

LES ÉCUEILS À ÉVITER ou LES ATTRAPE-NIGAUDS

DEUXIÈME PARTIE

CE QU'IL FAUT SAVOIR

PRÉFACE

Certains me trouveront peut-être prétentieux de proposer une méthode « infaillible » pour gagner de l'argent à la bourse.

Mon assurance découle du fait que j'élimine systématiquement tout effet du hasard ; ce procédé a réussi chaque fois que je l'ai appliqué.

Souvent des amis me demandent comment ils peuvent réussir à la bourse : je dois avouer mon impuissance à répondre en quelques mots. Je ne peux expliquer le système que j'utilise qu'en un long développement.

C'est pourquoi j'ai décidé d'exposer les principes de cette méthode. Si on suit ces principes, la méthode donne infailliblement de bons résultats. Pour réussir, vous devrez donc contrôler vos impulsions du moment et suivre le raisonnement à la lettre.

J'ai commencé à effectuer des transactions à la bourse il y a vingt ans ; aussi ai-je exploré tous les coins et recoins du marché. Au cours de ces années, ce qui me frappa surtout fut de voir des gens sérieux et intelligents qui, après avoir réussi de brillantes opérations boursières, se trouvaient soudainement pris au dépourvu et frustrés d'une grande partie de leurs profits antérieurs.

Alors qu'elle avait été implacable jusque-là, leur logique semblait bouleversée par des événements imprévisibles et incontrôlables. Pourtant, au lieu de leur nuire, ces occasions auraient pu tourner à leur avantage : l'utilisation profitable du désarroi et du chaos constitue l'essence même de ma méthode. À la bourse, la logique doit tenir compte de données fondamentales ; celles-ci font l'objet du livre que vous avez entre les mains.

La sagesse dans le domaine de la bourse consiste à avoir un pas d'avance sur tout le monde, à profiter des circonstances avant la foule. Quand la plupart des gens comprennent ce qui se passe, il est temps de cesser d'agir. Lorsque vous aurez terminé la lecture de ce livre, vous comprendrez ma pensée. Gagnerez-vous de l'argent en suivant les principes énoncés ? Le succès dépend de vous.

Voilà un domaine où vous ne serez pas évalué par d'autres. L'importance du compte en banque est ce qui y différencie les sages de la foule et les résultats sont concrets.

Dans ce champ d'action, gagner, c'est défier le public et le surpasser.

PREMIÈRE PARTIE

LES ÉCUEILS À ÉVITER
OU LES ATTRAPE-NIGAUDS

Les actions se vendent-elles à leur juste valeur? Oui, parfois, mais très rarement.

Les actions vendues sur les marchés appartiennent à des compagnies publiques; on peut donc avoir accès aux états financiers et à de nombreuses autres informations concernant les affaires de ces entreprises. Cependant, comme beaucoup d'autres facteurs influencent le prix des actions, ces données ne signifient rien dans bien des cas.

Vous pouvez être certains d'une chose: il y a toujours des gens plus renseignés que vous sur les opérations de n'importe quelle compagnie. Vous avez donc moins de chances au départ. L'argent intéresse les individus à l'affût de renseignements autant que vous, et lorsque la bonne nouvelle arrivera à vos oreilles, il sera déjà trop tard. Le plus souvent, vous aurez été le dernier à recevoir la précieuse information.

Vous croirez que le hasard ou une chance inespérée vous ont fourni telle nouvelle, alors que bien souvent on vous aura pris d'avance pour cible.

Examinons donc les moyens qu'utilisent ces porteurs de messages pour vous offrir ces pilules bien dorées.

1. Les circulaires des maisons de courtage

Les maisons de courtage sont d'abord des commerces et, comme tels, elles ont besoin de clients qu'elles doivent approvisionner abondamment pour supplanter les compétiteurs. Aussi, doivent-elles toujours donner l'impression d'employer des gens particulièrement bien avertis. D'habitude ces maisons sont honnêtes, mais cette qualité seule ne garantit pas le succès.

Les courtiers mettent à la disposition de leurs clients des lettres de recommandation, dans lesquelles ils analysent d'abord la situation financière de la compagnie concernée, en évaluent les chances de progression et recommandent ensuite l'achat de ses actions à tel prix, pour divers motifs qu'ils expliquent.

Les représentants des maisons de courtage croient sincèrement en leurs suggestions, mais leur sincérité n'en assure pas nécessairement la réussite. En réalité, la maison risque peu. Elle désire seulement ne pas vous perdre comme client, ce qui pourrait arriver si elle ne vous convainc pas d'acheter telle ou telle action. Elle a donc tout intérêt à vous faire des suggestions attrayantes. Aussi, ces institutions engagent-elles des gens qu'elles croient qualifiés pour faire des analyses et apporter des recommandations. Ces suggestions ne valent toutefois qu'en proportion de la capacité d'analyse de leur auteur.

Ces personnes ressources sont des salariés des maisons de courtage; elles reçoivent un salaire pour trouver de bonnes occasions. Pour motiver ses recommandations, l'employé puise ses renseignements quelque part. Est-il perspicace? A-t-il consulté le représentant de la compagnie? Si oui, quelle histoire lui a-t-on racontée? Vous ne le savez pas. Une chose est probable toutefois: s'il a de l'expérience, cet employé n'a cependant pas montré beaucoup de perspicacité, puisqu'il n'a pas encore fait fortune et qu'il continue d'accomplir cet humble travail de recherche. Par contre, il peut manquer d'expérience et démontrer quand même beaucoup d'efficacité. C'est l'un ou l'autre, mais vous ne le savez pas et vous n'avez aucun moyen de le savoir.

Confieriez-vous le produit de vos sueurs à un débutant, ou à une personne qui n'a jamais découvert le moyen de s'enrichir en mettant en pratique ses propres conseils? Des renseignements aussi peu sûrs n'intéressent pas l'investisseur avisé. En affaires, comme dans bien d'autres domaines, il vaut mieux se fier à l'expérience, et particulièrement à celle qui a fait ses preuves.

Examinez le profil d'entreprise de Consolidated Bathurst Inc. qui a été fourni par une maison de courtage ; c'est un bon exemple d'une recommandation qui a été faite à contretemps.

Exemple de recommandation à contretemps (pages 18 et 19).

PROFIL   D'ENTREPRISE

CONSOLIDATED-BATHURST INC.

RECOMMANDATION

Un bon placement de portefeuille offrant un
rendement intéressant et des possibilités
d'augmentation. Rechercher les stratégies
qui se présentent sur les options.

DATE: 25 mars 1981

COURS: $28 1/4

FOURCHETTE 1980-81: $13 1/2 - $29 1/2

VALEUR COMPTABLE L'ACTION: $19,68
      (est. 31 décembre 1980)

ACTIONS EN CIRCULATION: 21,9 millions
38% détenues par Power Corp. et 13% par
Association Newspaper Group (Royaume-Uni)

	BPA		Rapport Cours/Bénéfices
1979:	$4,27	1980:	5,3 fois
1980:	$5,42	1981e:	6,1 fois
1981e:	$4,75	moyenne quinquennale:	6,8 fois

DIVIDENDE ESTIMÉ:	$2,00
RENDEMENT:	7,0%
VERSEMENT 1980:	37%
VERSEMENT MOYEN QUINQUENNAL:	52%

GRAPHE: The Canadian Analyst Limited

COMMENTAIRE TECHNIQUE

Le cours grimpe depuis 10 ans et en 1980 accéda
à de nouveaux sommets. Sa cible à long terme
est de $50. L'action ne semble pas avoir de
support ferme plus élevé que de $13 à $16, mais
elle manifeste un appui à court terme à $22.
Le caractère cyclique de son cours témoigne de
la volatilité à long terme de cette action.

FAIT SAILLANTS

- 60% de la production de Consolidated-Bathurst est constituée de cartonnages dont
    la marge bénéficiaire est relativement modeste mais très stable.
- La société compte augmenter ses profits en rendant plus efficace ses moyens de
    production actuels et en agrandissant ses installations.
- Les actions ont monté en flèche tout dernièrement mais restent à long terme un
    placement intéressant.

L'INDUSTRIE

Le Canada est un important fournisseur de denrées forestières, exportant vers le
reste du monde plus de bois d'oeuvre, de pâte à papier et de papier journal que
tout autre pays producteur. Sa production de papier de luxe et de cartonnage est
destinée au marché canadien. Dans le passé c'est grâce à la qualité et à l'abondance
de ses réserves forestières que le Canada occupait un si haut rang dans la production
des produits du bois. Les entreprises canadiennes ont maintenant l'avantage d'être
parmi les plus concurrentielles du monde. Le dollar canadien à escompte depuis 4
ans a canalisé un flot d'autofinancement vers l'industrie forestière avec laquelle
elle finance de vastes programmes d'expansion qui augmenteront sa rentabilité et
lui assurera les moyens de répondre aux demandes croissantes de l'avenir. Puisque
le dollar canadian restera à la baisse pour quelque temps encore les producteurs
canadiens maintiendront leur avantage compétitif en 1981 et probablement bien au-
delà ce qui assurera de bonnes entrées de liquidité même au creux du cycle économique
des produits forestiers que nous subissons en 1980 et 1981. Ces facteurs nous por-
tent à croire qu'avec la demande soutenue pour les produits forestiers en 1982-84
la prochaine reprise du cycle générera d'excellents profits pour l'industrie forestière.

LA SOCIÉTÉ

Consolidated-Bathurst tire 60% de son chiffre d'affaires de ses cartonnages et bien
que la marge bénéficiaire en soit plus faible que sur le papier journal et la pâte
à papier, le marché des cartonnages est plus stable. 30% des revenus proviennent
du papier journal tandis que le solde est constitué de pâte à papier et de matériaux
de construction. Les gains de la société depuis quelques années ont été irréguliers
mais les efforts pour accroître la rentabilité ont porté fruit en 1979 et 1980 en
surpassant $3,00 de bénéfice par action, chiffre qui avait semblé infranchissable
au milieu des années 60 et encore en 1974. Des dépenses de capital touchant $750
millions dans la période 1980-84 augmenteront la rentabilité tout en permettant à
la société de répondre à une demande sans cesse grandissante. L'autofinancement
s'avère suffissamment élevé pour combler en très grande partie le capital nécessaire
à l'expansion.

PERSPECTIVES DE BÉNÉFICES

Quoique les profits de 1980 furent comprimés par les arrêts de travail du troisième
trimestre, le bénéfice de 1981 déclinerait encore à $4,75 l'action, suite à la chute
de la demande de pâte et de papier aux Etats-Unis, à la hausse des prix de revient
et au démarrage de nouveaux moyens de production au moment où le marché est loin
d'être ferme. En revanche, il s'agit d'une année cyclique creuse d'où le bénéfice
repartirait vers un sommet de $11,00 l'action en 1984.

VALEUR DE PLACEMENT

Les actions de Consolidated-Bathurst à moins de 6 fois le profit annuel en période
creuse, semblent sous-évaluées. Leur rendement est supérieur à la moyenne et leur
dividende bien appuyé. L'investisseur se rendra compte du succès de la direction
à maintenir une rentabilité élevée et que cela augmentera le rapport cours/bénéfice.
Les actions de Consolidated-Bathurst se négocient sur le marché des options et l'investisseur ferait bien d'explorer les stratégies qui s'y présentent.

Donc dans cet exemple, la maison de courtage conseillait d'acheter à 28¼, alors que le prix plafonnait, immédiatement avant la grande plongée.

Tableau 1

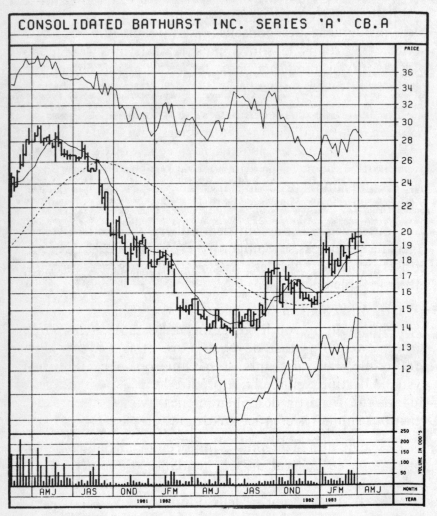

CONSOLIDATED BATHURST INC. SERIES 'A' CB.A

Selon le graphique ci-dessus, la même action se vendait moins de 15,00 $ à peine quelques mois plus tard.

2. Les services de renseignements

Un abonnement à un service de recommandation coûte de 200,00 $ à 300,00 $ par année. Dans chaque publication, les auteurs recommandent d'acheter telle action ou de vendre telle autre suggérée auparavant. Ces services spécialisés prodiguent des conseils aux investisseurs. Sont-ils sérieux ? Certains le sont ; mais la difficulté de reconnaître ceux-ci rend périlleux le fait d'abandonner son portefeuille à leur influence.

Plusieurs de ces entreprises se spécialisent dans la recommandation d'actions déterminées, tandis que d'autres analysent les tendances du marché en général. Ces dernières attachent beaucoup plus d'importance à la technique ; dans ce domaine, un tel procédé exige une compétence tout aussi grande.

Toutes ces maisons ont des milliers de clients et elles ont intérêt à ne pas se tromper trop souvent si elles désirent conserver leurs habitués ; aussi la plupart font-elles un effort louable dans ce sens.

Parmi les maisons qui ont tenté d'établir un système technique pour prévoir les réactions d'ensemble du marché, citons Zweig Forecast de New York et la vedette, Jos Grandville. Les dirigeants de ces maisons ont établi un système destiné, selon eux, à prédire les réactions futures du marché à partir des phénomènes avant-coureurs de réactions similaires et grâce aux leçons du passé.

Ces gens attachent plus d'importance au mouvement du marché en général qu'à la tendance d'une action en particulier. Ils tentent d'abord de détecter la direction du marché et, sur ce point, je leur donne raison. Une action d'une compagnie dynamique subira à coup sûr l'influence adverse du marché et elle plongera comme toute autre lors d'une baisse prolongée.

Puisque ces baisses durent parfois un an et demi, un investissement dans une compagnie en réelle progression peut tourner à la catastrophe.

Jos Grandville et le Dr Martin Zweig ont donc raison de mesurer l'ensemble du marché et de lui accorder de l'importance, avant de recommander l'achat d'une action. Ils ont tous deux dégagé des points intéressants, dans leurs études, quant à l'évolution du marché.

Selon les statistiques du Dr Zweig, les initiés (insiders) ne se trompent habituellement pas. Ces personnes jouissent d'une situation privilégiée à l'intérieur de leur compagnie, par conséquent elles achètent et vendent au bon moment. Les statistiques démontrent que lorsque 70% de ces connaisseurs investissent, c'est le moment d'acheter ; il en va de même quand il s'agit de vendre.

Si on se base sur la réaction du public, la situation diffère totalement : lorsque l'euphorie atteint un sommet et que le public achète en masse, il est temps pour la personne avertie de vendre. Si, au contraire, le pessimisme se répand à un point tel que les courtiers recommandent dans une proportion de 80% de vendre, c'est le moment d'acheter.

Les statistiques démontrent que le public a tort en général. Peut-être pourrait-on appliquer au marché boursier le mot de Walter Lippman : « Quand tout le monde est du même avis, c'est que personne ne réfléchit beaucoup. »

Étant donné les statistiques mentionnées ci-haut, peut-on recommander ces services ? Tous prétendent, de fait, avoir prévu dans le passé les grands revirements du marché. Un bon vendeur connaît son histoire !

M. Grandville a attaché une signification particulière au cycle boursier dans sa méthode et, à cet égard, il a raison. Il a malheureusement essayé de jouer au devin et a voulu prévoir avec trop de précision en indiquant l'heure des revirements majeurs. Cette attitude l'a parfois conduit à des succès foudroyants, mais aussi à des erreurs catastrophiques. Il a répété d'ailleurs à plusieurs reprises que lui-même n'investit pas, pour éviter de se sentir directement engagé et de voir ses prédictions influencées. Il me paraît cependant nettement engagé, et si désireux d'être à la hauteur de ses prétentions qu'il se laisse prendre à son propre jeu. À la fin, il est aussi compromis que s'il avait investi tous ses avoirs. Le Dr Zweig, de son côté, a tellement complexifié ses méthodes d'analyse que lui-même peut changer d'opinion jusqu'à trois fois en un mois.

Ces deux vedettes, comme bien d'autres, sont de véritables experts et ils ont acquis une grande connaissance des réactions du marché, mais il leur manque le recul nécessaire pour le voir dans son ensemble, ils s'attachent trop aux détails.

De même la plupart des services de renseignements tâchent d'émettre un communiqué toutes les semaines ou tous les mois, suivant les exigences des abonnés. Mais cela les oblige nécessairement à faire des volte-face à l'occasion.

Il faut donc observer les tendances du monde boursier à distance. Si on est trop concerné et engagé quotidiennement dans ce domaine, on ne peut en faire une lecture juste.

3. Les « tuyaux »

Vous découvrez tout à coup un « tuyau » qui représente une chance inespérée. Vous êtes l'ami de la secrétaire d'un professionnel, président d'une petite compagnie minière propriétaire d'un terrain en Gaspésie. Deux cent cinquante personnes travaillent à une mine non loin de cette propriété. Cette compagnie en exploitation est cotée à la bourse et paie avec régularité de gros dividendes. Bien entendu votre « tuyau » tout neuf ne concerne pas cette compagnie en exploitation mais plutôt la propriété adjacente.

La foreuse fait des essais et les résultats doivent paraître sous peu. Une très grande découverte devrait en sortir, car il y a déjà un certain temps qu'on en parle. Au cours de réunions presque secrètes, beaucoup de gens ont pu profiter du renseignement et acheter des actions. À l'arrivée du rapport du géologue au bureau de son patron, votre amie secrétaire n'a pu s'empêcher d'en demander la traduction en termes de dollars. Le président émet alors de nombreux commentaires élogieux sur cette affaire. Sans tarder, toute la parenté de votre amie et bien d'autres profitent de cette aubaine.

Le patron a eu de la veine : il a acheté depuis peu la charte non utilisée d'une compagnie minière et il a déniché ce terrain qui ne lui coûte presque rien. Le reste dépend maintenant du hasard. Les actions se vendent encore à 1,00 $. Mais d'ici quelques jours, la nouvelle paraîtra dans les journaux et les actions atteindront à coup sûr de 2,00 $ à 3,00 $. Il y a d'ailleurs beaucoup plus d'activité autour de ces actions puisque chaque jour il s'en transige des centaines de milliers. Une dizaine de jours passent et les actions montent à 1,20 $, indice favorable à l'achat.

La rumeur recommande surtout de ne pas vendre puisque ce n'est que le début. Dans votre entourage, personne ne vend ; on achète encore puis, un jour, la nouvelle sort et elle ne déçoit effectivement personne ; il en découle donc une augmentation du volume des transactions. Comment vendre dans de pareilles circonstances ? Il y a certainement des vendeurs, mais il s'agit sans doute de gens non avertis, éloignés et qui ignorent ces événements.

Comme vous n'aviez pas prévu pareille occasion et qu'actuellement vous manquez d'argent pour investir, vous devez passer outre à cette magnifique possibilité d'affaire.

En ce moment, le patron de votre amie voyage à l'étranger pour négocier la mise en place du processus de

24

raffinage du précieux produit. À présent, tout le monde connaît le « tuyau » et en parle ouvertement.

Toutefois, à votre grand étonnement, les jours et les semaines passent et le prix des actions ne monte plus ; il paraît même y avoir une tendance à la baisse. Le recul sera probablement temporaire, pensez-vous. Mais au cours des mois suivants, l'engouement pour ces actions s'éteint et celles-ci se vendent très peu.

Le prix a baissé à 0,35 $ par action et personne ne comprend cet écroulement. Cette valeur baisse contre toute attente logique et les nouveaux actionnaires, étonnés et presque éperdus, ne saisissent pas ce qui se passe. Les a-t-on roulés ?

Quelques années plus tard, vous rencontrez tout à fait par hasard un ancien foreur. Cet homme vous raconte avec maints détails la petite histoire d'une mine en Gaspésie, où on l'avait engagé pour forer. Il devait transporter l'équipement approprié à un endroit très bien indiqué sur une carte. Pendant qu'il acheminait le tout vers le site prévu, il constate que le chemin ne s'y rend pas. Il communique alors avec son patron et, à sa grande surprise, celui-ci lui dit de s'installer au bout du chemin, de forer et de lui envoyer les carottes.

Selon l'opérateur de la foreuse, un géologue rencontré dans une taverne aurait accepté de signer le rapport d'analyse proposé. C'est alors que vous vous rappelez, et que vous comprenez, la générosité du patron à l'époque envers sa secrétaire. Il lui avait donné une augmentation de salaire pour compenser les pertes occasionnées par cette fâcheuse aventure minière.

Le prochain tour de passe-passe du patron ne concernera sûrement pas les placements miniers, mais peut-être les gens du pétrole l'intéresseront-ils !

* * *

Des années plus tard, vous avez vendu votre ferme et vous disposez de 300 000 $ qui vous brûlent les doigts. Par un heureux hasard, vous retrouvez un cousin qui connaît bien le Président d'une petite compagnie de pétrole dont les actions ont déjà valu 11,00 $ et qui se transigent aujourd'hui à 3,00 $. Lorsque vous rencontrez votre cousin, que vous n'avez pas vu depuis des lustres, il a déjà fait plusieurs centaines de milliers de dollars grâce à cette modeste compagnie de pétrole installée au Texas. Il vient tout juste de visiter le Président, qui a profité de l'occasion pour lui montrer près de mille nouveaux petits puits en exploitation. L'année précédente, la compagnie a réalisé quelques centaines de milliers de dollars de profits mais grâce aux nouveaux développements, il n'y a aucun doute qu'elle aura gagné un million en profit net au bout de l'année.

Le cher cousin affirme qu'il ne vendra pas ses actions, même à 10,00 $. Sa participation à l'entreprise a fait de lui un millionnaire, comme sa Cadillac blanche en témoigne. Allons donc ! Cette affaire ne présente aucun risque : le bilan de la compagnie le prouve, on peut visiter les puits de pétrole ; voilà un vrai « tuyau ». Pas comme ce petit terrain en Gaspésie près d'une grosse mine !

D'ailleurs, les actions de cette compagnie se vendaient à 0,75 $ l'an passé et elles ont progressé déjà à plus de 3,00 $. Toutefois, vous avez hésité et les actions se transigent maintenant à 3,50 $.

Toujours par hasard, vous rencontrez de nouveau votre cousin. Vous apprenez qu'il détient encore plusieurs centaines de milliers d'actions de cette compagnie. Il est dans le secret des dieux. Pour lui, les actions de cette compagnie sont presque « personnalisées » ; il en suit l'évolution depuis des mois et il soutient que la demande pourrait être beaucoup plus forte si des gens n'empêchaient la poussée de prendre tout son essor. Il affirme que ces personnes agissent ainsi afin d'accumuler des actions à bas niveaux.

À certains moments, le prix a semblé plafonner et il a même chuté de quelques sous, mais il semble que c'était seulement pour « respirer un peu avant de repartir ». Lui, il ne vendra pas à moins que la cote n'atteigne 15,00 $. D'ailleurs, cette hausse devrait se produire d'ici peu car une très grosse nouvelle doit éclater à Vancouver, où les actions auront cours de même qu'à Toronto. Par bonheur, le cousin vous confie qu'en appelant tel courtier, vous pourrez encore acheter à coup sûr des milliers d'actions.

Pendant un instant de répit, le prix des actions se stabilise mais cette pause ne durera pas longtemps. Alors vous ne tenez plus en place ; vous détestez perdre ainsi de l'argent. Dans la vie, la chance ne se présente pas souvent et il faut savoir la saisir ! Aussi, n'écoutant que votre esprit raisonneur, vous plongez...

Comme par hasard, vous avez acheté au sommet et les actions se vendent maintenant à 0,59 $!

J'aime trop les gens pour les laisser piéger de la sorte. Ceux qui ne peuvent se rappeler les expériences du passé sont condamnés à les répéter.

* * *

Il y a quelques années, un sénateur canadien, Paul Desruisseaux, principal actionnaire de la distillerie Melchers, annonça à des intimes que le moment était propice pour acheter des actions de la compagnie. M. Desruisseaux, financier éminemment respecté de tous, avait possédé des journaux prospères pendant des années. Après la vente de ces publications, il avait investi beaucoup d'argent dans Melchers, entreprise de distribution de boissons alcoolisées d'envergure nationale.

Quand le sénateur annonça la bonne nouvelle à ses intimes, ceux-ci s'empressèrent d'écouter ses conseils et achetèrent une grande quantité d'actions de Melchers à un prix d'environ 15,00 $. La rumeur circulait que le contrôle de la compagnie intéressait une firme américaine et qu'une offre d'achat à plus de 25,00 $ était imminente. On ne conclut jamais la transaction, les actions déclinèrent à 10,00 $ en quelques mois et Melchers déclara faillite un peu plus tard.

Le sénateur était un homme honorable et très honnête. Je ne mets pas en doute son désir d'enrichir ses intimes, mais il s'est lui-même trompé. Le « scoop » venait d'une source apparemment sûre et très bien informée. Cet exemple montre le côté hasardeux des meilleurs « tuyaux ».

* * *

Au printemps de 1981, un journaliste désireux de se documenter sur le grand financier canadien, Paul Desmarais, rencontra un de ses proches qui lui conseilla confidentiellement d'acheter des actions de Consolidated Bathurst. À cette époque, ces titres valaient environ 27,00 $. Selon certaines informations, un des vastes projets de Paul Desmarais était sur le point d'éclore et allait porter le prix des actions à 40,00 $. M. Desmarais, l'un des plus grands financiers canadiens, contrôlait Consolidated Bathurst et venait même d'étendre sa puissance en Europe où il avait des intérêts dans une des plus importantes banques. En somme, il régnait sur des milliards de dollars et la personne à l'origine du « tuyau » était susceptible de fournir les meilleures informations possibles sur le sujet. Elle l'avait d'ailleurs prouvé en fournissant des informations pertinentes à un investisseur dans une prise de contrôle antérieure, celle de Petro-Fina, par une compagnie appartenant au gouvernement canadien, Petro-Canada.

Selon les informations au sujet de Consolidated Bathurst, les transactions devaient provoquer une hausse des actions à 40,00 $ et plus. Un spéculateur averti n'avait qu'à acheter des options à la hausse pour environ 20 000 $, le tout échelonné sur plusieurs mois, pour réaliser 125 000 $ et plus de bénéfices.

Pendant ce temps, le journal *Finance* parlait d'un remue-ménage dans les placements du génie financier : on commençait à identifier les pions qu'il avait déjà mis en place pour prendre le contrôle du géant Canadien Pacifique. Quelle était la disposition de l'échiquier ? Mystère et spéculation.

Après des mois, les actions de Consolidated Bathurst déclinèrent plutôt que de progresser et, un an plus tard, Paul Desmarais avoua s'être fait damer le pion dans sa tentative de fusionner Domtar et Consolidated Bathurst.

Entre-temps, par une habile manœuvre, la Caisse de dépôt et la S.G.F., toutes deux créations du gouvernement du Québec, avaient joint leurs efforts et bloqué la voie à Paul Desmarais ou à d'autres.

Je pourrais donner des centaines d'exemples similaires. Mais sans doute avez-vous compris et pouvez-vous conclure vous-mêmes : les « tuyaux », même les meilleurs, sont hasardeux.

4. Les trouvailles du siècle

Il y a quelques années, je rencontrais de temps en temps Me Murphy, avocat d'un certain âge, décédé depuis, qui me montra un jour une carte de remerciement qu'il venait de recevoir.

Autrefois, Me Murphy était secrétaire d'une compagnie distributrice de charbon. Quand il constata que la vente de ce combustible déclinait au profit de l'huile, l'un des vendeurs de cette compagnie quitta l'entreprise pour une nouvelle organisation qu'il trouvait plus dynamique.

Plus tard, le vendeur suggéra à Me Murphy de poser le même geste : son nouveau travail l'enchantait, la compagnie prospérait et, en tant qu'employé de celle-ci, il bénéficiait d'options pour l'achat d'actions à un prix fixé d'avance.

La trouvaille du siècle, quoi ! Eh bien ! Me Murphy venait de recevoir la carte de remerciement en question, à la suite d'une lettre de félicitations qu'il avait envoyée au nouveau président de Xerox International (qui était l'ancien vendeur de la compagnie de charbon).

Quelles sont vos chances de vous enrichir grâce à une trouvaille semblable ? À peu près les mêmes qu'a n'importe quel bébé de devenir président de Xerox International. Ces occasions existent, mais vous ne pouvez ni ne devez compter sur elles.

* * *

J'habite tout près de l'endroit où Armand Bombardier inventa la motoneige. D'un simple atelier naquit une entreprise où travaillent des milliers de personnes. Un jour, on annonça que la compagnie deviendrait publique et que tous pourraient bénéficier des profits immenses issus de la vente des motoneiges.

L'émission d'actions succéda à une publicité tapageuse. Après plusieurs majorations, on fixa le prix à 16,00 $ et tous pouvaient s'approvisionner dans les maisons de courtage. La demande augmenta à un point tel qu'on ne pouvait se procurer la quantité d'actions désirée, à moins d'être vraiment privilégié. Les gens des environs jouissaient d'une situation avantageuse pour juger de la valeur de cette compagnie et ils s'en arrachaient les actions.

Après l'entrée des actions de Bombardier sur le marché, la cote dépassa 20,00 $ par suite de toute la publicité ; mais ceux qui n'eurent pas la prudence de vendre tout de suite leurs actions ont perdu beaucoup et perdent encore. Les acheteurs de la région ont pour la plupart été des victimes ; et pourtant ils misaient semble-t-il sur des renseignements bien fondés, ils avaient des parents ou des amis qui travaillaient à l'usine et qui leur rendaient compte régulièrement des activités !

En 1975, les actions de Bombardier subirent une division (fractionnement) inversée. Les détenteurs de 100 actions en obtinrent en échange 19 nouvelles. Ceci a comme résultat que, pour que l'actionnaire récupère sa mise de fonds plus l'intérêt, il faudrait que l'action de Bombardier se vende aux environs de 200 $. Elles sont actuellement cotées à moins de 20 $. Si le but des investisseurs avait été d'aider une compagnie à trouver du capital et de stimuler ainsi l'économie régionale, la situation serait différente. En général, les émissions d'actions ne concernent pas le petit investisseur.

Je pourrais donner des centaines d'exemples où Perrette a cassé son pot-au-lait. Pensez seulement à l'émission récente de Dome Canada, vendue par la plupart des maisons de courtage. L'action valait 10 $ au départ et, moins d'un an plus tard, elle avait baissé à 3 $. Les petites gens apprennent souvent, à la suite de ce genre d'émission d'actions, que les compagnies publiques comme les gouvernements ont des bras inégaux ; l'un, très long, prend, et l'autre, plutôt court, donne, mais il faut alors s'approcher très près.

Pourquoi la compagnie a-t-elle émis ces actions ? Pour servir les nouveaux actionnaires ? Le prix d'émission d'une action n'a qu'un barème, le prix de vente éventuel. Si, après une grosse campagne publicitaire, la maison de courtage ne peut écouler à tel prix les actions à émettre, ce prix sera fixé autrement. Il varie selon la facilité de l'écoulement.

Même si les lois qui régissent la conception des prospectus d'émission semblent bien sévères, dans beaucoup de cas, ces exigences ne signifient rien. Si vous n'êtes pas vous-même parmi les actionnaires principaux d'une compagnie, vous ne pouvez prévoir avec certitude l'avenir de l'entreprise.

Bombardier signe présentement des contrats pour des milliards de dollars dans le domaine du transport en commun, mais le public a perdu. Il arrive très souvent que des compagnies vouées à un avenir prometteur entrent sur le marché, mais leurs actions se vendent si cher eu égard à leur profit qu'il est imprudent d'acheter, surtout pour le petit investisseur (à moins que des raisons de fiscalité importantes n'y incitent).

Il se peut qu'un jour vous laissiez passer une chance inouïe, aussi, n'oubliez pas d'acheter votre billet de loterie.

5. Les bonnes nouvelles

Au début de 1982, l'indice de la bourse de New York allait atteindre un record ; toutes les compagnies annonçaient des profits incroyables et on aurait cru à une montée en flèche de toutes les actions.

E.F. Hutton affichait un profit de 5 $ par action qui se vendait 50 $. Merrill Lynch annonçait des profits semblables et l'action valait 45 $. Cette situation valait pour à peu près toutes les compagnies.

Pourtant, six mois plus tard, E.F. Hutton se vendait 23 $, Merrill Lynch 25 $ et la très grande majorité des actions avait chuté d'une façon vertigineuse. La plupart des observateurs du marché boursier criaient à l'imprévisible. Au contraire, la conjoncture indiquait une dégringolade certaine.

L'annonce d'une bonne nouvelle, les rumeurs répandues par tous vos amis selon lesquelles ils ont fait de l'argent à la bourse, tout ce va-et-vient présage l'effondrement.

Pourquoi ce chambardement doit-il se produire et se répète-t-il toujours ? Je l'expliquerai dans les chapitres suivants. Le même phénomène a d'ailleurs marqué les années 1966, 1970, 1974 et 1982. Le hasard n'a rien à voir dans ce chaos cyclique, dans ce désordre en un sens voulu et devenu nécessaire (Tableau 8).

DEUXIÈME PARTIE

CE QU'IL FAUT SAVOIR

1. L'encan public réglementé

Un halo de mystère entoure le monde boursier depuis sa naissance. Des centaines d'histoires stupéfiantes circulent a son sujet. La vente auprès du public d'une participation aux entreprises n'a pas vu le jour hier. La bourse telle que nous la connaissons est le fruit d'une longue évolution, et sa structure actuelle a été constituée pour protéger contre les abus. Les leçons tirées des spoliations causées aux investisseurs par les manipulateurs ont permis d'introduire une réglementation de mieux en mieux articulée. Les nombreux déboires y ont apporté tout un cortège de correctifs.

En 1716, après la mort de Louis XIV, John Law, précédé d'une réputation de génie financier, revient à Paris et offre au public une participation dans sa compagnie. Il sème en terrain fertile car la foule s'arrache ses actions et les prix montent en flèche. Il entretient l'envoûtement du public par une manipulation habile; la spéculation atteint des sommets vertigineux. De très bas qu'il était au début, le prix des actions de l'Écossais atteint en 1719 la somme de 18 000 louis. Puis, soudain, c'est l'effondrement, et en moins d'un an les spéculateurs n'offrent plus que 40 louis pour les mêmes actions.

Le public s'était fait duper. L'affaire Law donna naissance, en 1724, à la Bourse de commerce de Paris ; la participation du public aux entreprises dépendra dorénavant de critères plus sévères. Désormais, l'institution boursière veillera au grain.

En Angleterre, à la même époque, une autre expérience se révèle aussi désastreuse. Les administrateurs de la compagnie South Sea ont une idée géniale : ils achètent du public les créances dues par l'État et, en échange, ils donnent des actions de South Sea.

L'opération paraissait astucieuse, mais on oubliait la rivalité que créait l'affaire avec la Banque d'Angleterre. En agissant de cette façon, la compagnie se plaçait en compétition directe avec la Banque. Cette rivalité entraîna la ruine de South Sea et la perte des investisseurs fut si élevée que le Parlement anglais adopta le Bubble Act. Encore une fois, il avait fallu réglementer pour protéger le public.

Aux États-Unis, de la fin du XIXe siècle à la crise de 1929, Wall Street passa tour à tour entre les mains des spéculateurs et des manipulateurs, puis des banquiers, pour finir avant les années 1930 sous le contrôle des syndicats financiers. Cette époque en or marque Wall Street. Une moitié de la nation américaine semble engagée dans le marché boursier et l'autre en suit l'évolution comme on le fait des événements sportifs.

Jay Gould, spéculateur boursier, met la main avec des amis sur plusieurs journaux new-yorkais pour avoir plus d'emprise sur l'opinion publique. Les journalistes écrivent sous la dictée des spéculateurs. Les exploits des entrepreneurs et des « big boys » de Wall Street font la manchette et on connaît les héros de Wall Street aussi bien que Babe Ruth. Grâce à son pouvoir financier, le banquier J.P. Morgan dépasse en puissance le trésorier des États-Unis et traite d'égal à égal avec le président Théodore Roosevelt.

L'argent déposé dans les banques par le petit épargnant roule lui aussi vers Wall Street à l'insu du déposant. En 1929, le château de cartes s'écroule ; le spéculateur y perd son argent et souvent celui des autres. Dans les années 1930 et 1931, le petit épargnant d'hier, maintenant aligné pour recevoir sa part de la soupe populaire, apprend qu'il était un investisseur en bourse.

Après l'époque flamboyante des spéculateurs qui créent une fortune en un jour et l'époque non moins fascinante des banquiers Morgan, Mellon et Rockefeller, qui font surgir instantanément des empires financiers ou les anéantissent selon leurs intérêts grâce à leurs « moncy trust », notre Wall Street d'après la crise semble fade.

De fait la manipulation a presque disparu et le marché se partage en deux groupes inégaux : des institutions alimentées surtout par des fonds mutuels et des fonds de pension s'en arrogent la plus large part ; des milliers d'investisseurs se partagent l'autre morceau du gâteau, qui diminue d'ailleurs avec les années.

En 1970, les institutions détenaient 60% du marché et la part de 40% qui était aux mains des individus se répartissait, donnée surprenante et contraire à la croyance populaire, presque également entre les hommes et les femmes. De 1950 à 1970, les femmes américaines étaient plus nombreuses que les hommes à détenir des actions de compagnies publiques. En 1970, la situation s'inverse : on dénombre 15,6 millions d'hommes actionnaires et 15,1 millions de femmes actionnaires.

Mais qu'est-ce au juste que le marché boursier ?

Ce n'est ni le marché aux puces de Paris ni le marché des voleurs à Mexico. Le vendeur ne tient pas un comptoir comme dans un marché de légumes. Le marché boursier ne possède ni inventaire ni adresse ; il s'agit en gros de l'ensemble de la communauté des investisseurs. Vous, moi et des milliers d'autres l'alimentons. Des intermédiaires, les courtiers, acheminent les commandes vers un organisme central, où se concentrent les volontés des participants. Le marché boursier ressemble davantage à l'encan public qu'au marché de poissons. En effet, le poissonnier fixe son prix, mais à la bourse l'acheteur et le vendeur sont tous deux des clients. Le local où se tient l'encan constitue le point de rencontre des volontés.

Lorsqu'un client appelle son courtier et lui dit d'acheter 100 actions de la compagnie I.B.M. à 125 $, le courtier ne fait que passer le message. Il achemine la commande vers le point de rencontre et si une autre personne accepte de vendre à ce prix, l'échange s'effectue par l'intermédiaire de la bourse.

Quand il fixe le prix de vente de sa marchandise, le poissonnier tient compte d'un point de repère qui est son coût. Ses compétiteurs établissent leurs prix de la même façon. Au marché boursier, il n'existe aucun point de repère. Le vendeur potentiel peut avoir acheté l'action de I.B.M. hier à 125 $, son compétiteur a peut-être acheté il y a dix ans à 35 $. Tous deux vendront au prix qu'ils pourront obtenir.

En théorie, il n'y a donc aucun point du support : c'est la loi de l'offre et de la demande à l'état pur. Lorsque le poissonnier cesse de faire du profit et que le prix de vente de sa marchandise égale son coût, il ferme boutique. Au marché boursier, ce point de repère n'existe pas, le prix se balance de bas en haut ou de haut en bas selon la loi de l'offre et de la demande. Vous me répondrez peut-être que la situation financière de la compagnie constitue un point de repère : c'est faux.

Le prix d'une action ne reflète pas la valeur de la compagnie. Il reflète l'opinion du public qui, parce qu'il est bombardé d'informations, fonde souvent sa logique sur ce qui est à la mode.

40

À la bourse, la garantie de la maison se limite à la livraison de la marchandise. Au marché de poissons, on vous assure de la qualité, on ne vous vend pas la pourriture. À la bourse, les découvertes après le déballage ne concernent pas l'encanteur. On vous livre le pourcentage de participation à l'entreprise selon votre commande. Un humoriste dirait qu'il y a plus de similitudes entre la bourse et l'agence matrimoniale qu'entre la bourse et un marché de poissons.

Quand on demandait à l'un des plus grands spécialistes de la bourse américaine, le banquier J.P. Morgan : « Où ira le marché ? », chaque fois celui-ci répondait : « Il fluctuera ». Comme votre courtier n'a sans doute pas l'expertise de J.P. Morgan, il ne peut garantir dans quel sens ira le prix de l'action que vous venez d'acheter. La seule garantie que vous pouvez exiger de lui, c'est qu'il vous livre un bout de papier identifiant votre pourcentage de participation à l'entreprise. Comme l'espoir mène le monde, le public achète parce qu'il croit que le marché montera et il a raison. À très longue échéance, l'ensemble du marché montera, mais entre-temps il fluctuera.

2. Le contexte historique

Jusqu'aux années 1940, l'économie était officiellement laissée à elle-même. À de longs intervalles, les mécanismes autocorrecteurs du système économique entraient en action et produisaient des catastrophes effroyables.

Des périodes de dépression succédaient en alternance aux périodes de prospérité. Au début du siècle, Kondratieff, un économiste russe, décela de longues vagues d'une durée d'environ 50 années (Tableau 2). D'autres historiens de l'économie y découvrirent des cycles qui n'avaient ni cette ampleur ni cette régularité. Ils identifient ces cycles aux années de panique, et ils font ressortir celles de 1837, 1909, 1973 et, bien sûr, le krach boursier de 1929.

Tableau 2

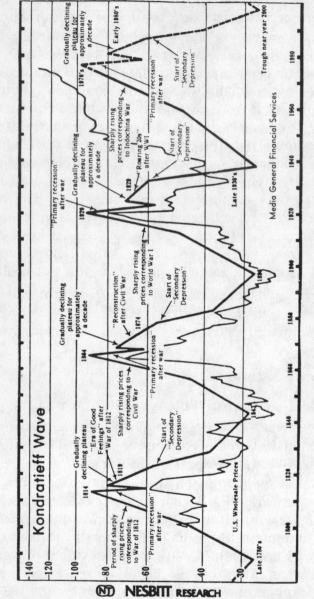

THE ECONOMIC LONG WAVE

Media General Financial Services

(NT) NESBITT RESEARCH

42

Des périodes de grand «dégonflement» suivaient des périodes d'expansion, avec des descentes incontrôlées et des montées aux mêmes allures.

La fin des années 1920 et le début des années 1930 témoignèrent d'un effroyable chaos. On constata que le monde occidental n'avait jamais freiné l'expansion de sa circulation monétaire. Chaque pays alimentait son système à l'aveuglette et le tout devenait inacceptable. Aussi, par réaction à ces événements, les principaux pays occidentaux mirent en place des organismes de contrôle efficaces. Dorénavant les théoriciens de l'économie trouveraient des gens pour les écouter. La science de l'économie pouvait désormais faire ses premières armes.

Les organismes de contrôle mis en place adoptèrent par étapes la théorie de Keynes, cet économiste anglais qui publia en 1936. *The General Theory of Employment Interest And Money*. Dans ce livre, il propose une nouvelle théorie de la monnaie où il met en relation la quantité de monnaie, les taux d'intérêt, les dépenses d'investissement, la consommation et l'emploi : c'est le fondement de la macro-économie moderne.

Cette théorie, adoptée par les gouvernements de l'Europe occidentale, de l'Amérique du Nord et des autres pays développés, assure une stabilité relative. L'instrument de contrôle, la Banque centrale, jouit par-dessus le pouvoir politique d'une indépendance inscrite au cœur de l'institution. Désormais, les crises seront gérées.

Aux États-Unis, depuis le début des années 1950, le «Federal Reserve Board» a le contrôle absolu des commandes sur la politique monétaire américaine. Cet organisme augmente ou diminue au besoin la quantité de monnaie en circulation. Le président, M. Volcker et ses collaborateurs peuvent prévenir une nouvelle dépression sans trop de difficultés. Ils peuvent aussi, mais c'est plus ardu, empêcher l'inflation d'atteindre des sommets inacceptables.

Pour résumer, disons que désormais, au lieu de subir des dépressions à de longs intervalles, nous aurons des petites crises répétées. Aussi longtemps que ces organismes indépendants survivront, nous aurons de bonnes périodes de stabilité relative et des poussées d'inflation suivies de récessions, mais jamais plus de dépressions.

Les prophètes de malheur qui annoncent avec régularité une dépression d'envergure ignorent que la Banque centrale peut remettre l'économie en marche assez facilement. Le problème le plus aigu de cet organisme consiste à ajuster les leviers de l'économie avec ceux du gouvernement, pour éviter que le mécanisme ne s'emballe et ne produise une inflation exagérée.

3. Les grands sorciers

Pour se protéger des phénomènes hostiles, il faut en connaître les origines. D'où viennent les récessions, les booms économiques, la chute des cours ou leur montée ?

Au milieu de l'année 1982, en pleine récession, l'homme de la rue, préoccupé, attribuait le cataclysme économique que nous subissions à des personnes bien précises. La responsabilité en tombait à tout coup sur les riches. Selon ces profanes, les riches et les banques complotaient pour s'enrichir encore plus aux dépens des moins nantis.

À la même époque, M. Paul Desmarais, le plus prestigieux manitou de la finance au Canada, déplorait sans doute sa récente erreur d'appréciation.

Jack Gallagher, quant à lui, s'arrachait les cheveux. Président de Dome Petroleum, il entrevoyait déjà l'impossibilité pour son géant pétrolier de faire face à ses obligations bancaires. Les banques canadiennes créancières de son entreprise risquaient d'y perdre énormément et avaient accepté à plusieurs reprises de reporter des paiements de la dette. La situation s'aggrava à ce point que le gouvernement fédéral accepta in extremis de proposer, avec les banques, un plan de renflouement conjoint pour venir à la rescousse de la compagnie et empêcher son naufrage. Le prix des actions de Dome Petroleum avait baissé de 24 $ à 3 $ (Tableau 3).

Pendant ce temps, la Banque Nationale, non engagée dans cette aventure, avait vu ses actions diminuer de 13 $ à 4 $ et on chuchotait à l'époque que l'institution financière traversait un moment difficile (Tableau 4).

Quant à M. Paul Desmarais, certains de ses récents investissements ne paraissaient pas très opportuns. Son groupe venait d'acheter une participation de 19% dans Sceptre Resources, juste avant que les actions de cette compagnie ne plongent (Tableau 5). Un autre investissement du même groupe paraissait tout aussi chaotique. Il avait pris une participation de 23% dans Sulpetro. Cette dernière venait d'acquérir CanDel Oil à un très haut prix. Comme ç'avait été le cas pour Dome Petroleum, Sulpetro se sentit étouffé par l'ampleur de ses dettes et l'alourdissement des frais d'intérêt, à cause de ce dernier achat. Le groupe de M. Desmarais avait acheté immédiatement avant la plongée (Tableau 6).

En plus, le groupe de M. Desmarais venait d'acquérir une bonne participation dans le Canadien Pacifique à un prix d'environ 50 $ par action. Au milieu de la crise, les actions de Canadien Pacifique valaient moins de 25 $ (Tableau 7).

En 1981, pouvait-on prévoir le ralentissement de l'économie? Pouvait-on pressentir la récession? Les hommes d'affaires mentionnés plus haut ont mal interprété la venue de cette crise, ou tout au moins son ampleur.

En 1981, l'euphorie des prises de contrôle a enthousiasmé le conseil d'administration de Dome Petroleum et cet optimisme a conduit le géant pétrolier au bord de la catastrophe.

Tableau 3

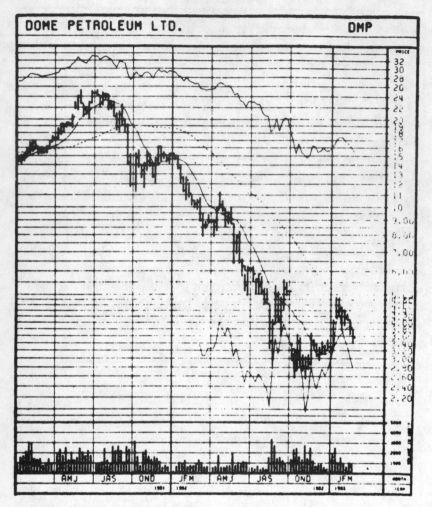

Tableau 4

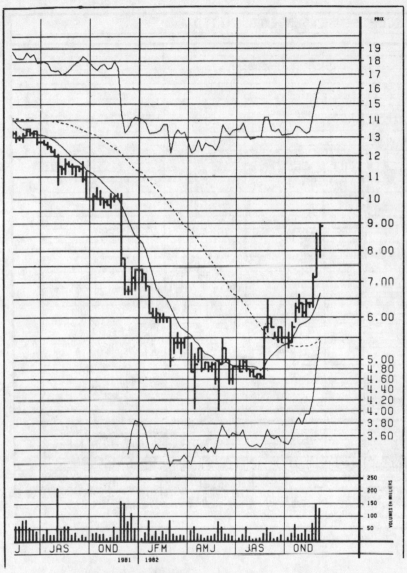

Banque Nationale

47

Tableau 5

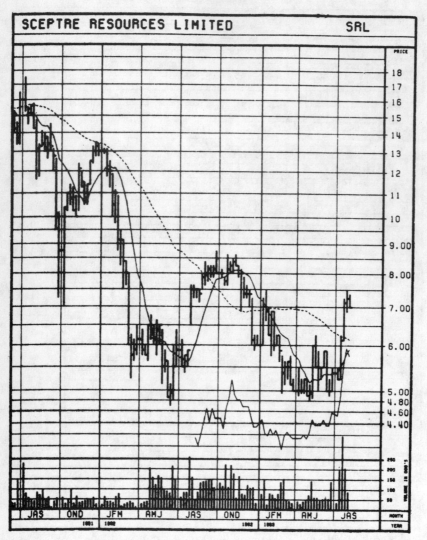

Tableau 6

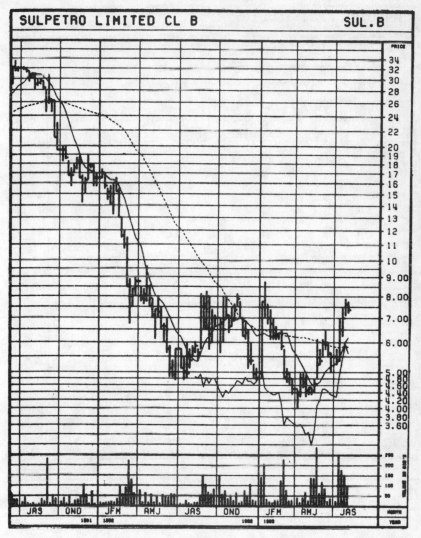

49

Tableau 7

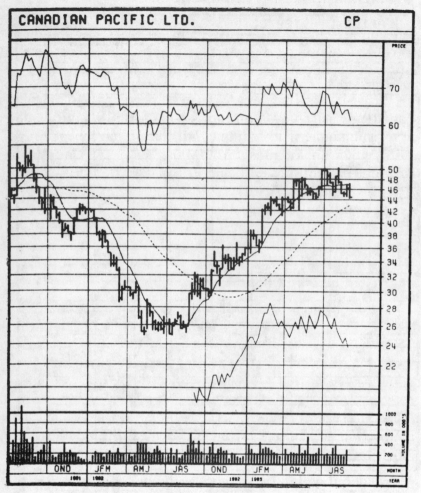

CANADIAN PACIFIC LTD.   CP

50

M. Desmarais a-t-il été dupe lui aussi de l'euphorie de 1981 ou a-t-il été simplement stratège ? Il semble bien que son empressement à investir dans les deux compagnies pétrolières témoigne d'une erreur d'appréciation de l'évolution de l'économie, surtout eu égard au prix du pétrole.

En est-il de même dans le cas de sa participation dans le Canadien Pacifique ? Pourquoi a-t-il acheté les actions de cette compagnie à un sommet ? Il aurait payé beaucoup moins cher un an plus tard. Mais le cas de Canadien Pacifique présente des particularités. Dans cette transaction, le temps pouvait constituer un facteur déterminant. Un retard aurait pu créer des barrières infranchissables et lui enlever toute latitude. Le contexte de l'opération justifiait le prix supplémentaire qu'il a payé parce qu'il n'a pas pu attendre ; de plus, les actions de Canadien Pacifique s'avéraient un bon achat même à ce prix.

Dans l'optique d'une prise de contrôle technique, et c'est le cas ici, le prix à payer dépasse toujours la valeur du marché. L'histoire de cette participation dans Canadien Pacifique ne relève pas des mêmes critères d'évaluation et pour cela elle n'a pas la même signification dans la présente démonstration. Les autres exemples cependant indiquent tous un manque : en somme, ces grands prêtres de la finance ont agi comme s'ils ne prévoyaient pas une grande récession.

Au début de 1980, les Hunt, les individus les plus riches aux États-Unis, après un essai raté pour accaparer avec l'aide de quelques Arabes le contrôle du métal argent, se retrouvèrent en mauvaise posture et durent solliciter l'aide des banques. Disciples de la théorie de Jérôme Smith, qui veut que le métal argent constitue le meilleur refuge contre la dévaluation progressive du papier monnaie, les Hunt accumulèrent des lingots de ce métal. À la fin de 1979, des événements imprévus firent échouer leur stratagème pour contrôler l'amont et l'aval du prix de l'or blanc. Le prix se mit à dégringoler et passa en quelques mois de 49 $ à 10 $.

Bien embourbés dans un amoncellement de métal et de contrats d'achat, les Hunt se trouvèrent à découvert d'un milliard de dollars. Coincés, comme tout autre citoyen, ils durent payer cher l'argent dont ils avaient besoin.

Un consortium de treize banques (THE FIRST IN DALLAS, MORGAN GUARANTY, CITY BANK, CHASE MANHATTAN, BANK OF AMERICA, MANUFACTU-RER HANOVER, CONTINENTAL ILLINOIS, CHEMI-CAL BANK, BANKERS TRUST, THE CANADIAN IMPERIAL BANK OF COMMERCE, THE ROYAL BANK OF CANADA, THE FIRST NATIONAL OF CHICAGO, REPUBLIC NATIONAL OF DALLAS) vint à leur rescousse et leur consentit un prêt de 1,1 milliard à un taux d'intérêt dépassant 20%.

Parce qu'ils avaient davantage confiance dans les biens matériels et les ressources naturelles que dans la monnaie de papier (ou du moins le prétendaient-ils), ces messieurs avaient provoqué une hausse vertigineuse du prix du métal.

Ils étaient responsables de la forte augmentation du prix du métal qu'ils convoitaient mais on ne peut certes pas les accuser d'avoir été de connivence avec les banques pour provoquer délibérément une hausse des taux d'intérêt. En fait, lors de récessions, la valeur des biens des riches s'amoindrit, et très souvent ils y perdent beaucoup.

Ces faits et ces chiffres ne peuvent qu'ébranler la croyance populaire quant aux vrais responsables de la crise. Aussi faudrait-il peut-être chercher ceux-ci ailleurs.

La question primordiale est celle-ci : existe-t-il, par-dessus les grandes institutions financières et économiques d'un pays, de grands sorciers capables de déjouer les calculs des plus habiles stratèges ? Si oui, qui sont-ils ? Et dans quel but nous jettent-ils tous ces mauvais sorts ?

Nous l'avons vu plus haut, ces jeteurs de sorts ne sont pas ceux que la rumeur désigne. Mais qui sont donc les responsables de ces mauvais tours : restrictions de crédit, hausse des taux d'intérêt, faillites, chômage, misères et, par suite, chute des cours en bourse ?

Dans son traité *L'Économique*, Paul Samuelson, alors professeur au Massachusetts Institute of Technology, écrit : « En 1913, le Congrès américain vota et le président Wilson promulgua la loi instituant le "Federal Reserve Act". La panique de 1907, accompagnée d'une épidémie aiguë de faillites bancaires, avait été la goutte qui avait fait déborder le vase : le pays en avait assez, une fois pour toutes, de l'anarchie et de l'instabilité inhérentes à la gestion purement individualiste de son réseau bancaire. »

L'Angleterre avait imposé à l'état embryonnaire la même loi en 1694 ; la France le fit en 1800, la Belgique en 1850 et le Canada en 1935. Ces institutions paraétatiques acquirent, après la crise des années 1930, un véritable rôle de gestion de la politique monétaire des pays. Après le cataclysme, la stabilité économique était devenue une priorité pour les gouvernements.

En 1936, J.M. Keynes publia *General Theory of Employment Interest and Money*. L'explication des crises qu'il y apporte et les remèdes pour les enrayer qu'il propose inspirèrent la plupart des pays développés.

Les banques centrales agiraient dorénavant en grands manitous du développement économique dans tous les pays intéressés. On applique les théories de Keynes depuis les années 1940, en y ajoutant les améliorations apportées par d'autres économistes. Somme toute, on restreint le volume de monnaie en période inflationniste et on resserre le crédit puis, à la longue, quand l'inflation a été maîtrisée, on allège les restrictions.

Comme le dit Roger Dehem dans son livre *Initiation à l'économie* : « Les banques centrales sont les banques des banques et des gouvernements. Elles ne traitent généralement pas avec des particuliers. Elles détiennent des dépôts des banques commerciales et des gouvernements. Elles prêtent aux banques commerciales en réescomptant des effets de commerce ou en accordant des avances. Elles prêtent aux gouvernements en achetant des bons du Trésor et des obligations. Mais leur responsabilité principale aujourd'hui est de régler le volume monétaire et l'offre de crédit, de manière à assurer une saine prospérité. »

Au Canada, Gérald Bouey dirige la Banque Centrale, et aux États-Unis, Paul Volcker préside la Federal Reserve Bank, son équivalent. Ces hommes et leurs équipes veillent et, en tant que techniciens, ils doivent rester froids comme des statistiques. Ils président ces institutions armés de données et de leviers économiques qui les rendent beaucoup plus puissants que tous les présidents les plus prestigieux des plus grosses compagnies du pays.

Ces institutions n'investissent aucun argent. Pourtant, leur puissance financière dépasse celle du gouvernement du fait qu'elles contrôlent le volume de la monnaie en circulation.

Comme le dit Samuelson : « Pour se protéger efficacement contre les bourrasques d'inflation, les autorités de la Réserve Fédérale peuvent user de chacune de ces trois armes : renforcement des exigences de couverture, relèvement des taux de réescompte, vente de fonds de l'État sur le marché public. Au cours de l'inflation d'après-guerre, elles ont employé les trois moyens de contrôle à la fois dans certains cas. »

La banque centrale peut, par ses leviers, raréfier ou augmenter l'argent en circulation, forcer les banques à diminuer ou à augmenter le volume de leurs prêts, les amener à baisser ou à hausser les taux d'intérêt. En plus, la banque centrale ne se laisse pas intimider par les gouvernements ; son autonomie est et doit demeurer sacrée.

Pour le lecteur profane, j'ajoute que la banque centrale d'un pays n'est pas une banque en réalité. Elle n'a rien des banques que nous connaissons ; le gouvernement l'a créée pour imprimer la monnaie, la détruire, mesurer et contrôler le volume d'argent en circulation.

Un investisseur avisé se doit de bien comprendre les mécanismes de cette institution. Selon la vision que celle-ci a de l'évolution de l'économie et, surtout, selon la projection qu'elle en déduit, elle fait progresser ou elle stoppe le développement.

Sans nous attarder à comprendre tous les détails de ces mécanismes, retenons que cette banque est l'agent financier du gouvernement et qu'à ce titre

— elle conseille ;

— elle gère des comptes gouvernementaux ;

— elle émet la monnaie ;

— elle gère les réserves en devises (elle contrôle et protège la valeur externe de l'unité monétaire) ;

— et elle gère la dette du gouvernement.

Il lui incombe en plus de stimuler la croissance de la masse monétaire et la création d'emplois tout en évitant de favoriser l'inflation. Elle est responsable de la politique monétaire et, pour cela, elle exerce des pressions directes sur les banques. Ainsi, elle diminue ou augmente la quantité d'argent en circulation et elle oblige les banques à être plus conservatrices ou plus libérales dans leurs prêts, selon les nécessités du moment.

Dans son cours sur le commerce des valeurs mobilières au Canada, l'Institut canadien des valeurs mobilières précise :

Voici les cinq méthodes que la Banque du Canada utilise pour modifier sa politique monétaire ; certaines d'entre elles sont utilisées fréquemment, d'autres seulement à l'occasion :

1. Les opérations sur le marché public dans lesquelles la Banque du Canada vend des titres du gouvernement

canadien pour freiner le crédit dans le système bancaire ou en achète pour l'encourager ;

2. Le mécanisme de gestion des dépôts qui permet à la Banque d'augmenter ou de diminuer le crédit dans le système bancaire par le jeu de prélèvements ou de dépôts de soldes en numéraires du gouvernement dans les banques à charte ;

3. Le changement du taux bancaire ou taux d'escompte — une augmentation de ce taux rend le crédit plus difficile et plus onéreux à obtenir, une diminution facilite l'emprunt et en réduit les coûts ;

4. La modification du coefficient des réserves secondaires que les banques à charte sont tenues de maintenir ;

5. La pression morale — le gouvernement, la Banque du Canada, ou les deux à la fois peuvent recommander aux banques à charte ou à d'autres institutions financières d'apporter des changements à leurs politiques de crédit.

Norma Greenaway, de la Presse canadienne, écrivait le 16 avril 84 dans la Presse :

L'intervenant canadien qui est le principal facteur d'influence sur les taux d'intérêt — la Banque du Canada — est peu connu des habitants du pays...

La Banque du Canada est chargée de contrôler la masse monétaire en faisant varier selon les besoins les taux d'intérêt à court terme. Son influence est donc énorme sur tous et chacun, que ce soit l'industriel, l'investisseur, l'agriculteur, le pêcheur, le locataire ou le propriétaire...

Chaque élément — taux d'intérêt, masse monétaire, taux d'échange, etc. — permet de maintenir en équilibre précaire l'économie du pays : toute décision dans un domaine affecte l'ensemble du système bancaire...

Parmi les autres activités moins controversées de la Banque du Canada, notons l'administration de la dette nationale de 151 $ milliards, l'investissement d'énormes fonds au nom de diverses agences gouvernementales, le retrait de la circulation des billets éculés ou déchirés, l'entreposage de la réserve d'or du Canada dans les chambres fortes situées dans les sous-sol de son siège social, etc.

Il semble donc évident que ces hommes qui président les banques centrales avec leurs collaborateurs sont les grands sorciers de l'économie. Et leur bête noire, leur constante hantise porte un nom : « inflation ». Or le spectre de l'inflation évoque le mot « dépression », et la seule façon d'empêcher une nouvelle crise consiste à prévenir l'emballement de l'inflation ; aussi doit-on, selon ces grands techniciens, créer des récessions périodiques. « De deux maux il faut choisir le moindre. »

C'est ainsi qu'en 1981, le cheval inflationniste ayant pris le mors aux dents, la banque centrale lui coupa les vivres et la récession de 1982 s'abattit avec une violence particulière.

Ils ne mouraient pas tous, mais tous étaient frappés.

(Jean de La Fontaine.)

4. Les cycles économiques et boursiers

En 1968, au moment où je suivais un cours en économie, j'eus l'impression qu'en vertu des notions fraîchement acquises, il me serait facile de faire de l'argent sur le marché boursier.

J'avais déjà tâté de ce marché et j'avais même réussi à y gagner de l'argent avec régularité. À cette époque, ma méthode était fort simple. Je cherchais dans les livres appropriés des actions de compagnie dont le prix avait

	1960		1961		1962		1963		1964	
JOHN INC	Haut	bas	haut	bas	haut	bas	haut	bas	haut	bas
	60	23	55	19	62	24	70	32	64	27

fluctué selon la constante suivante : le prix le plus haut devait avoir doublé le prix le plus bas, à chacune des cinq dernières années.

(Une de mes actions préférées à ce moment-là fut Commodore. Depuis cette compagnie à été inscrite au marché new-yorkais et elle a connu une vogue qui a projeté son prix très haut.)

Il apparaît évident, quand on regarde le tableau ci-haut, que la compagnie ne progressait pas, mais ce fait n'avait pas d'importance. Le secret consistait à acheter en 1965 au prix d'environ 30. Les chances étaient alors très grandes que le prix double dans les douze mois suivants.

En répartissant le risque dans une dizaine de compagnies à caractéristiques semblables, j'assurais le succès de mon entreprise. À cette époque, je choisissais des actions de petites compagnies minières ou de petites compagnies industrielles. Avec certaines variantes, j'appliquai ma méthode aux compagnies industrielles inscrites sur le marché de New York. La différence résidait dans le fait que je ne tenais plus compte de la même façon de la fluctuation du prix des compagnies pendant les 5 années précédentes.

Je m'intéressais désormais aux cycles économiques et boursiers. Depuis 1938, le tableau des fluctuations de la bourse de New York nous démontre que l'activité économique est maintenant gérée. Le prix des actions s'affaisse avant de repartir vers de nouveaux sommets (Tableau 8).

Les déclins sont réguliers : 1938, 1942, 1946, 1949, 1952, 1957, 1962, 1966, 1970, 1974, 1978, 1982. La montée dure environ deux ans et demi, et la baisse, plus abrupte, dure de 12 mois jusqu'à 20 mois parfois.

Plus la montée s'allonge, plus la descente est courte. Le cycle n'a jamais dépassé quatre ans et demi. Les montées ou les descentes s'accompagnent de brefs mouvements en sens inverse ; il s'agit de soubresauts qui ne sont pas indicateurs de tendance.

Avec des statistiques semblables, nous constatons que l'application de la théorie de Keynes, et des perfectionnements qu'on lui a apportés grâce au savoir-faire de la banque centrale, a produit des effets. Ceux-ci sont bien illustrés par le tableau ci-dessous :

1956 haut 521	1970 bas 627
1958 bas 419	1972 haut 1067
1961 haut 734	1974 bas 570
1962 bas 525	1976 haut 1026
1965 haut 1011	1978 bas 736
1967 bas 735	1981 haut 1030
1968 haut 984	1982 bas 767

Tableau 8

Dow Jones Industrial Average

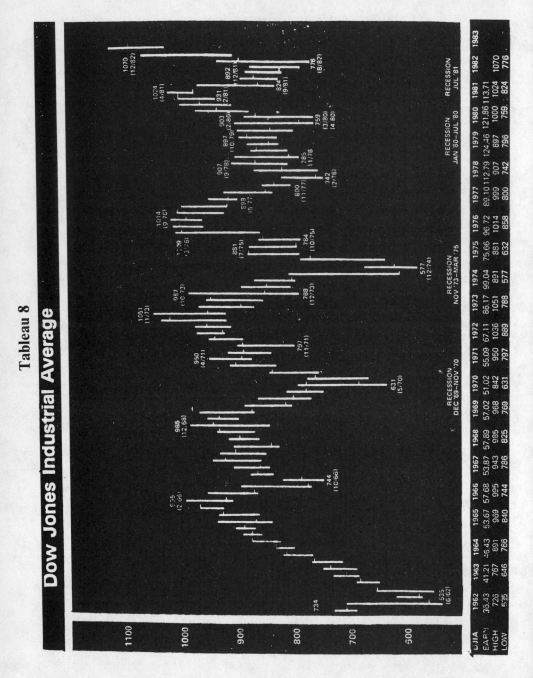

DJIA	1962	1963	1964	1965	1966	1967	1968	1969	1970	1971	1972	1973	1974	1975	1976	1977	1978	1979	1980	1981	1982	1983
EARN	36.43	41.21	-6.43	53.67	57.68	53.87	57.89	57.02	51.02	55.09	67.11	86.17	99.04	75.66	96.72	89.10	112.79	124.46	121.86	113.71		
HIGH	726	767	891	969	995	943	985	968	842	950	1036	1051	891	881	1014	999	907	897	1000	1024	1070	
LOW	535	646	766	840	744	786	825	769	631	797	889	788	577	632	858	800	742	796	759	824	776	

La régularité de ces cycles est étonnante ; examinons-les en termes de chiffres :

Du bas de 62 au haut de 66, durée : 40 mois, hausse : 86%
Du bas de 66 au haut de 68, durée : 26 mois, hausse : 32%
Du bas de 70 au haut de 73, durée : 32 mois, hausse : 66%
Du bas de 74 au haut de 76, durée : 21 mois, hausse : 76%
Du bas de 78 au haut de 81, durée : 38 mois, hausse : 38%

Du haut de 66 au bas de 66, durée : 8 mois, baisse : 25%
Du haut de 68 au bas de 70, durée : 17 mois, baisse : 36%
Du haut de 73 au bas de 74, durée : 22 mois, baisse : 45%
Du haut de 76 au bas de 78, durée : 17 mois, baisse : 27%
Du haut de 81 au bas de 82, durée : 16 mois, baisse : 24%

Du bas de 62 à celui de 66, durée : 48 mois
Du bas de 66 à celui de 70, durée : 43 mois
Du bas de 70 à celui de 74, durée : 54 mois
Du bas de 74 à celui de 78, durée : 38 mois
Du bas de 78 à celui de 82, durée : 54 mois

De ces statistiques, nous pouvons tirer les conclusions suivantes :
— La moyenne des baisses est de 30% ;
— En moyenne, la montée dure 30 mois ;
— Les baisses durent en moyenne 16 mois ;
— Les moyennes de montée sont de 60% ;
— Les baisses ont toujours dépassé 20% ;
— En moyenne, le marché touche un nouveau bas environ tous les 4 ans ;
— Les montées sont toujours plus longues que les descentes ;
— Plus la montée a été longue, plus la baisse est courte.
Cette étude nous permet de conclure que la personne qui a gardé tout son argent investi pendant la période de 1962 à 1982 n'a pas fait un très bon usage de son capital.

Donc, l'histoire moderne a toujours enregistré des cycles et malgré l'influence énorme que nous prêtons à l'action de la banque centrale, il ne faut pas imputer à celle-ci l'entière responsabilité des cycles économiques et boursiers que nous vivons.

Ordonner les cycles naturels de l'économie, neutraliser l'influence trop expansionniste des gouvernements en mal de popularité et s'assurer que les politiques économiques n'engendrent pas une inflation suivie inexorablement d'une crise, voilà les principales responsabilités déléguées à la banque centrale. En somme, elle agit comme régulateur. Mais des cycles semblables à ceux que nous connaissons existaient bien avant qu'apparaissent les banques centrales.

Dans un article intitulé « The Bull Market », publié dans le *Barron's* de juin 1952, V.L. Dunbar démontrait l'existence des cycles de 46 mois (4 ans) au marché boursier. L'étude reposait sur des relevés datant d'aussi loin que 1834. Dans son article, M. Dunbar affirme que depuis 119 ans, un cycle boursier s'étendait en moyenne sur 46 mois entre un haut et un autre ainsi qu'entre un bas et le suivant. Cet écart a été respecté avec une précision de 97% (tableaux 9, 10, 11 et 12).

Tableau 9

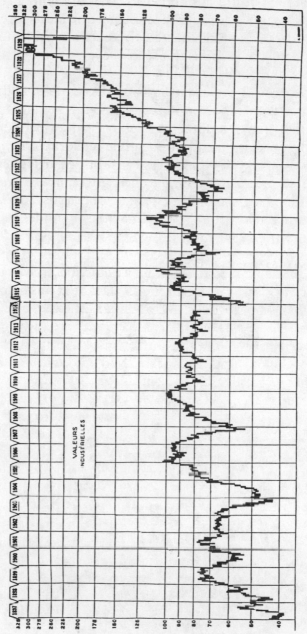

VALEURS INDUSTRIELLES

63

Tableau 10

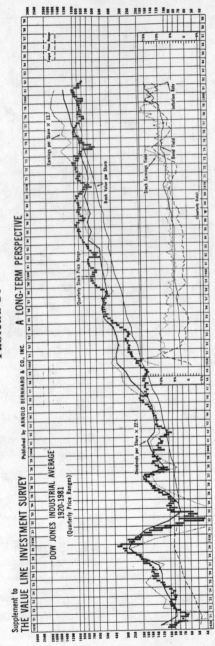

Tableau 11

A history of the Dow-Jones industrial average 1885-1983

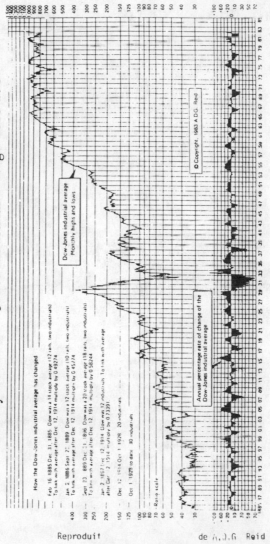

Reproduit   de A.D.G. Reid

65

Tableau 12

LA PRESSE
MONTRÉAL, VENDREDI, 18 DÉCEMBRE 1959

CYCLES DES AFFAIRES DE 1800 À 1999

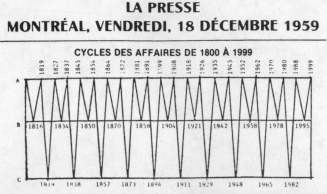

COPIE D'UN GRAPHIQUE DÉCOUVERT DANS LE TIROIR D'UN VIEUX PUPITRE À PHILADELPHIE EN 1902 ET DONT L'AUTEUR EST INCONNU. Le graphique original était jauni par le temps et le pupitre avait déjà une quarantaine d'années au moment de la découverte. On croit que ce graphique a été préparé pendant ou avant la guerre civile. Il est étonnant de constater avec quelle précision l'auteur inconnu a prédit des dépressions majeures comme celles de 1857, 1853, 1894 et 1929. Il y a sept ans, le graphique a été reproduit dans un journal du Texas, le "Houston Post Despatch". On a consulté l'histoire et l'on a fait le rapprochement des périodes suivantes avec ce graphique:

1800-1819 Les campagnes de Napoléon (qui on pris fin avec la bataille de Waterloo) et la guerre de 1812.

1819-1839 Les débuts de la colonisation de l'ouest canadien et américain.

1839-1857 La guerre civile américaine et la guerre de Crimée.

1857-1894 Le développement industriel des États-Unis et la construction de chemins de fer reliant l'Atlantique au Pacifique.

1894-1911 Les faillites bancaires et la panique de l'or aux États-Unis.

1911-1929 La première guerre mondiale et l'inflation d'après guerre qui a abouti à la débâcle financière de 1929.

1929-1935 La grande dépression et le début du régime Roosevelt aux États-Unis et la deuxième guerre mondiale sous le régime hitlérien.

1942-1943 Le commencement du déclin d'Hitler et de la deuxième guerre mondiale.

A - Les années de prospérité et de prix élevés.
B - Les années difficiles et de bas prix.
C - Les années de panique et de dépression.

Note: Texte tiré de La Presse du 18 décembre 1959.

Le marché boursier reflète avec la régularité d'une horloge les politiques monétaires de la banque centrale.

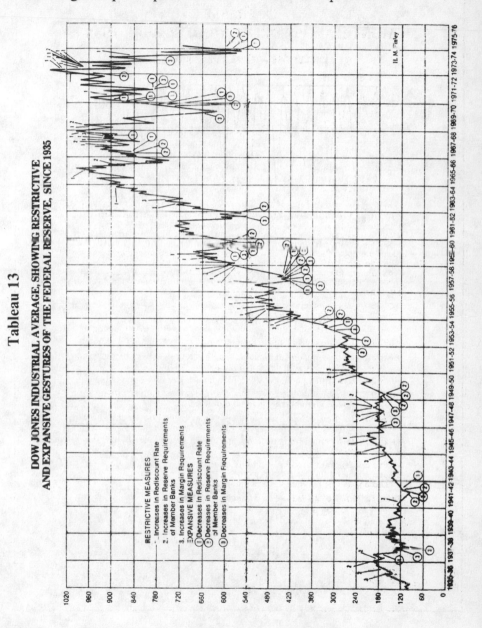

Tableau 13

DOW JONES INDUSTRIAL AVERAGE, SHOWING RESTRICTIVE
AND EXPANSIVE GESTURES OF THE FEDERAL RESERVE, SINCE 1935

RESTRICTIVE MEASURES
1. Increases in Rediscount Rate
2. Increases in Reserve Requirements of Member Banks
3. Increases in Margin Requirements

EXPANSIVE MEASURES
① Decreases in Rediscount Rate
② Decreases in Reserve Requirements of Member Banks
③ Decreases in Margin Requirements

Tableau 14

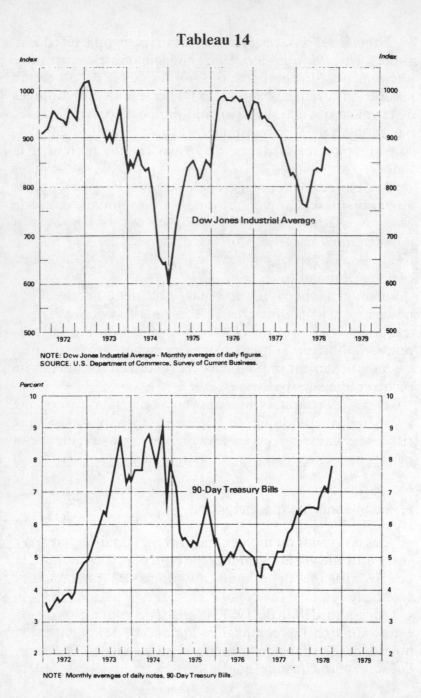

NOTE: Dow Jones Industrial Average - Monthly averages of daily figures.
SOURCE: U.S. Department of Commerce, Survey of Current Business.

NOTE: Monthly averages of daily notes, 90-Day Treasury Bills.

68

Nous le savons, ces cycles se sont répétés en 1958, 1962, 1966, 1970, 1974, 1978 et 1982. Nous avons tous connu ce phénomène. M. Dunbar ajoute : « Au cours de ces trente révolutions cycliques depuis 1834, l'ensemble des montées de la valeur des actions, si on additionne les écarts entre les bas du marché et leur sommet suivant, a totalisé 2,090%, soit une poussée moyenne de 70% à chaque marché à la hausse.

Les baisses ont enregistré un total de 919% du sommet au bas du marché suivant, soit une diminution moyenne de 31%. À chaque cycle complet, le prix des actions a en moyenne augmenté de 70% et décliné de 31%, pour un total de modifications dépassant légèrement 100% à chaque période de 46 mois. »

Nous voyons que les cycles boursiers ne sont pas nouveaux mais bien ancrés au cœur même des lois économiques. Grâce à ces cycles et aux statistiques que nous pouvons obtenir sur eux, nous pouvons affirmer qu'il est habituellement plus efficace de vendre au sommet et de racheter après les baisses.

Dans les chapitres qui suivent, nous élaborerons une façon très méthodique de bénéficier à coup sûr et sans risque des hausses répétées, sans subir les pertes entraînées par les baisses successives.

5. Le phénomène d'anticipation

Les nouvelles du moment ne doivent jamais déterminer votre attitude vis-à-vis du marché boursier. C'est connu, la bourse anticipe de 6 mois au moins les phénomènes économiques.

Ainsi, au début de 1981, l'économie connaît un essor extraordinaire. Les compagnies annoncent des profits sans précédent, l'expansion s'annonce ultra-rapide. Pourtant, l'observateur constate que le marché boursier ne reflète plus la progression. Au contraire, les indicateurs boursiers baissent. De janvier 1981 jusqu'à août 1982, le Dow Jones décroît de 1 024 à 776. Cette baisse de l'indicateur annonce-t-elle le déclin prochain de l'économie ?

Le marché boursier avait été effectivement précurseur : l'économie s'effondra. À la fin de 1982 et au début de 1983, on atteignit le creux de la récession.

Pourtant, au printemps de 1983, alors que l'économie croupissait encore dans un marasme effroyable, qu'un chômage endémique sévissait, le Dow Jones ne reflétait déjà plus cette situation. Au contraire, il venait d'atteindre 1 200, soit un record de tous les temps.

En l'espace de 8 mois, il était passé de 776 à plus de 1 200. Une pareille accélération ne provenait sûrement pas des récents profits des compagnies. Non. C'est que l'évolution du prix des actions annonce des mois à l'avance la situation économique prochaine.

En août 1982, l'indice du marché new-yorkais marquait moins de 800. L'économiste Kaufman, spécialiste des taux d'intérêt, annonça la fin de la hausse des taux. Selon lui, les taux amorceraient bientôt une baisse. Lors d'autres prédictions semblables, M. Kaufman avait souvent vu juste. Il jouissait d'une grande crédibilité auprès des investisseurs, aussi on le crut. L'annonce du renversement de la tendance des taux d'intérêt apportait l'espoir d'un retour à la prospérité.

Immédiatement, le parquet ressentit l'information, les cotes boursières en baisse depuis des mois effectuèrent un prompt virage. Les jours sombres achevaient sans doute ; le soleil ne pointait peut-être pas encore à l'horizon mais certainement que six à douze mois plus tard, ses rayons bienfaisants mûriraient la récolte. En effet, le décalage entre les mesures expansionnistes ou restrictives et leurs résultats dure toujours plusieurs mois.

À la fin de 1983, soit plus d'un an plus tard, lorsque les profits réapparurent au bilan des compagnies, le marché escaladait allègrement de nouveaux sommets boursiers depuis déjà un bon moment ; en somme, le marché n'attend pas le résultat mais il réagit dès la mise en place des mesures à l'origine du phénomène.

Quel facteur avaient donc décelé les investisseurs, qui avait provoqué chez eux un pareil emballement et projeté l'indicateur à un sommet ? Un seul événement avait causé tout ce chambardement de perspective : la banque centrale avait commencé à modifier sa position. Elle avait atteint son but et ses « gourous » savaient dès lors que l'inflation était maîtrisée. On le constata plusieurs mois plus tard.

À la mi-avril 1983, l'Organisation de coopération et de développement économique (OCDE) déclarait que la plupart des pays membres de l'OCDE avaient enfin vaincu l'inflation.

Le rythme moyen de l'inflation pour 12 mois avait baissé au-dessous de 6% pour la première fois depuis 10 ans. Au cours des derniers mois, le rythme moyen de l'inflation avait fléchi à 5,9% en janvier et 5,7% en février, chiffres les plus faibles depuis février 1973, c'est-à-dire avant le premier choc pétrolier.

Les banques centrales avaient prévu et devancé la situation et, entre-temps, elles avaient desserré les freins. Comme les restrictions monétaires s'adoucissaient et que les taux d'intérêt ne cessaient de baisser, la confiance avait repris. Prévoyant la victoire sur l'inflation et la reprise de l'économie, la bourse avait escompté que les profits viendraient à coup sûr, et ceci pour l'ensemble des compagnies.

N'oubliez pas que le marché n'accueille pas deux fois la même nouvelle. Lorsque, dans plusieurs mois, les nouvelles proclameront une augmentation de profit, l'effet de cette annonce ne se reflétera déjà plus et le prix des actions aura à peu près cessé de bouger. Il sera déjà trop tard pour acheter.

Fait curieux, la plus grande partie de la hausse du marché boursier s'enregistre en plein marasme économique. Lorsque la prospérité vient, la principale hausse est déjà passée. Ce n'est pas encore la très grande baisse à ce moment-là mais quand celle-ci viendra, on sera encore en pleine prospérité.

Alors en attendant le prochain creux du marché, laissez les autres s'agiter.

TROISIÈME PARTIE

CE QU'IL FAUT FAIRE

1. Le moment d'entrer

Entrer dans le marché quand tout va bien et le faire surtout lorsque les cotes boursières atteignent leur sommet, voilà généralement ce que le public juge opportun de faire. À ce moment, les profits s'accumulent et les compagnies se battent entre elles pour les prises de contrôle. Tous les médias annoncent des gains records pour la plupart des grosses compagnies. C'est l'euphorie. Une tentation irrésistible attire alors le public. Mais attention : l'inflation dépasse alors toute norme acceptable par la banque centrale et la réaction de celle-ci ne tardera pas.

Quelques années avant l'avènement d'Hitler en Allemagne, le prix des marchandises montait à une telle vitesse qu'à certains endroits il fallait le changer deux fois par jour. Ce phénomène ne devrait plus se répéter car la banque centrale a le mandat de prévenir la dégénérescence de l'économie. Ainsi, lors des grandes poussées inflationnistes, le mécanisme de contrôle de la banque centrale entre en action. Elle s'est donné des moyens qu'elle utilise de fait ; elle peut ainsi provoquer la hausse des taux d'intérêt, l'arrêt des investissements et l'augmentation du chômage.

La politique de restriction monétaire atteint peu à peu tous les consommateurs. Toutes les compagnies diminuent leur expansion, le chômage augmente et les taux d'intérêt atteignent des sommets. L'argent que le public utilise pour payer cette augmentation des taux d'intérêt diminue les ressources disponibles pour l'achat d'autres biens. La nervosité envahit le marché boursier, le prix des actions plonge, fait de brèves remontées puis s'effondre inévitablement. Le mouvement à la baisse dure habituellement de douze à vingt mois, et les derniers soubresauts avant d'atteindre le fond sont toujours très violents.

Voici pour l'investisseur le moment idéal d'acheter. Mais peut-il déterminer avec certitude cet instant où l'économie touche le fond ? Est-ce vraiment possible ?

L'expérience nous démontre que maintes fois de prétendus devins se sont mépris. Nous avons vu entre autres Jos Grandville, le célèbre analyste du marché, se tromper à plusieurs occasions depuis 1973, après de retentissants succès. Il vous faut donc éviter de trop attendre, en espérant reconnaître le moment précis où le marché sera à son plus bas, avant de commencer à investir. Vous risquez de voir les valeurs monter en flèche avant même d'avoir misé.

Quand faudra-t-il commencer à investir ? Nous le verrons plus loin. Mais n'oubliez pas : vous devrez poser des gestes à l'inverse de ceux que vos émotions vous dicteraient. Bien que le marché ait beaucoup baissé, vous pourrez croire que la descente n'est pas encore finie. Alors n'hésitez pas, commencez à investir.

Aussi, pour contrer des impulsions tout à fait naturelles, il me paraît nécessaire d'utiliser une technique, celle de l'investissement graduel et méthodique. N'oubliez pas, vous détenez un secret qui vous guide tout au long du processus : la rationalité l'emporte sur l'émotion.

2. La préparation mentale

Au début de ce livre, j'ai écrit que pour gagner, il faut se distinguer de la masse des gens, se révéler le plus fort. Ces mots prennent ici toute leur importance et je m'explique.

La principale tâche de la banque centrale consiste à maîtriser l'inflation. Pour ce faire, cet organisme crée un chaos temporaire, réaction paradoxale qui assure une certaine stabilité dans la progression. Cet enraiement de la poussée inflationniste provoque un début de panique : tel est le prix de la stabilité relative de l'économie que la banque centrale assure sans l'avis des politiciens et par-dessus leur tête (et tant pis pour ceux qui reviennent devant le peuple !).

Avec les données de la macro-économie moderne, enrayer une dépression se révèle facile, la véritable difficulté consiste à mesurer la quantité de monnaie en circulation de façon à éviter d'engendrer une poussée inflationniste. Si les prix des marchandises commencent à s'emballer, malgré les précautions prises, la réaction des gestionnaires de la masse monétaire ne se fait pas attendre. Ils raréfient aussitôt l'argent et, comme nous l'avons déjà vu, provoquent ainsi hausse des taux d'intérêt, arrêt des investissements, faillites et chômage. Le plus pauvre coupe ses dépenses et n'achète plus que les choses essentielles à la vie. Le plus riche y perd également, même s'il bénéficie alors d'un plus haut taux de rendement sur l'argent liquide. Il constate que ses avoirs dans le domaine immobilier et sa participation dans les compagnies diminuent à vue d'œil.

À mesure que la crise progresse, un climat de panique s'installe. Le spectre du krach de 1929 ressurgit. Les bulletins de nouvelles en parlent abondamment. Ce qui apparaissait seulement dans les pages financières s'étale soudain à la première page de tous les journaux. Le *Time Magazine* de New York a souvent reflété cette panique en évoquant à chaque récession le spectre du krach des années 1930 dans un titre en page couverture. Personne n'ose plus investir.

Celui qui connaît les données de la macro-économique moderne n'a pas peur. Il sait que la crise est voulue, créée, mesurée, gérée et qu'on peut l'enrayer à volonté. Aussi, la personne avertie et à l'affût des aubaines doit cesser à ce moment de lire et d'écouter les prophètes de malheur. Elle doit s'accrocher imperturbablement à la donnée véritable, celle qui annonce une reprise certaine et même imminente. Elle doit éviter de suivre le courant, attitude difficile à adopter il faut bien l'admettre.

Car on peut arriver facilement à convaincre que cette fois les écluses lâchent. Il suffit de démontrer que le système monétaire s'écroule, que beaucoup de pays ne peuvent plus rembourser leurs dettes, que le problème s'amplifie et n'a jamais connu cette envergure, et que les remèdes du passé servaient de cataplasmes. D'ailleurs, dans des circonstances semblables, les excuses pour refuser d'investir pullulent ; l'argent se fait rare, vos placements vous rapportent un très bon intérêt et, dans l'ensemble, l'envie de l'aventure s'étiole.

Il semble alors tellement improbable que le tout se remette à bien fonctionner et que la bourse remonte d'une façon intéressante ! C'est pourtant ce qui se passe à tout coup. Ce mécanisme n'a jamais manqué et la poussé suit, la plupart du temps impressionnante. La remontée débute avant qu'apparaissent les signes avant-coureurs. Elle vient au moment le plus inattendu. Il y a de fortes possibilités que vous vous fassiez prendre, surtout si vous vous laissez influencer par la morosité de votre entourage. Aussi, n'oubliez pas ce mot approprié à la circonstance : « Mieux vaut seul qu'avec des sots », ou encore ce mot de l'auteur français, Edmond Rostand :

C'est la nuit qu'il est beau de croire à la lumière.

6. Le rythme de croissance

J'ai dit précédemment que vous devez donner à votre argent un rythme de croissance accéléré. Voici une courte démonstration mathématique de cette nécessité.

Selon ma méthode, vous resterez inactif pendant de longs mois. Vous ne prendrez aucun engagement boursier pendant cette période. Aussi y a-t-il lieu d'examiner si, dans l'ensemble, le rythme de croissance de votre avoir sera suffisant et intéressant.

À l'aide de la méthode que j'explique en détail plus loin, chaque manœuvre effectuée devrait multiplier votre avoir par trois. Supposons que vous investissiez 10 000 $. Au premier mouvement, ce montant se transformera en 30 000 $. Au deuxième mouvement, le réinvestissement intégral produit 90 000 $ et à la fin du troisième mouvement, vous aurez déjà 270 000 $. Si je ne tiens pas compte des impôts, je ne tiens pas compte non plus des intérêts sur les placements.

Si cela ne vous suffit pas, augmentez la mise initiale ; après tout, avec 10 000 $ vous risquez seulement le prix d'une petite automobile.

Ainsi, une personne dotée d'un esprit déterminé, capable de se contrôler et de s'astreindre à une méthode, et avide de réussir pourra, avec une mise de fonds assez modeste, devenir à l'aise sans trop de difficultés. Les défis stimulent l'être humain.

Cette méthode s'adresse aux individus entreprenants, pour qui réaliser un objectif constitue un mode d'accomplissement de choix.

Je n'ai pas besoin de vous dire que pour y arriver, vous devrez très souvent vous astreindre à respecter les limites indiquées. Choisir par instinct, c'est comme ne pas choisir.

Si vous êtes du type à vous dépêcher de succomber à la tentation avant qu'elle ne s'éloigne, jetez immédiatement ce livre à la poubelle, il ne vous conduira nulle part. Votre instinct vous amènerait très vite à de fâcheuses situations.

7. L'attente

Selon la méthode préconisée, vous ne devez subir aucune influence des maisons de courtage, des services de recommandations, « tuyaux », bonnes ou mauvaises nouvelles et même de votre courtier.

Il faudra en outre que vous affrontiez un autre obstacle, tout aussi grand mais dont vous ignorez la puissance. Car si la méthode a son fondement dans une rationalité à toute épreuve, votre rigueur scientifique pourrait vaciller sous l'influence d'une personne que vous connaissez bien et dont les instincts peuvent vous paraître très sympathiques et très sûrs : vous-même.

Cette embûche semble anodine, mais sa force s'impose, surtout lorsqu'on dispose seulement de capitaux à rendement faible après des mois d'une attente difficile à supporter ; et ces périodes peuvent être assez longues. À ces moments-là, élevez une barrière entre vous et le marché boursier. Ne conservez aucun contact avec les maisons de courtage et cessez de lire les nouvelles de l'économie ; annulez même tout abonnement.

Faites comme Baruch, l'un des grands experts du domaine boursier. Ce financier quitta les États-Unis avant le krach de 1929, se réfugia en Écosse et passa ainsi plusieurs années à élever des moutons. Gardez la tête froide ; la véritable difficulté consiste à contrôler ses instincts. Car, dans le domaine boursier, suivre ses impulsions conduit tout droit à l'échec.

En vous contrôlant et en choisissant rationnellement les moments opportuns pour agir, vous aurez l'impression de jouer un bon tour à la vie. Vous avez la possibilité de vous servir de critères d'investissement établis à l'aide des leçons du passé. Ce « livre » vous indique la méthode propice, qui consiste à arriver quand tout le monde s'en va, et votre force réside dans le fait d'appartenir à un groupe restreint.

Quand vous entrez dans le marché, vous le faites par la grande porte, à l'instant que vous avez attendu avec tant de patience. Les périodes d'inaction préparent et mûrissent les occasions exceptionnelles.

Vous deviendrez à ce moment affairés alors que, tout autour de vous, gémiront les investisseurs frustrés de leurs avoirs dans les mois précédents. Ils sont désemparés, eux qui croyaient connaître et maîtriser le marché. Ils constatent, après le succès et les griseries, qu'en même temps que leurs avoirs, leur connaissance du marché se déprécie très vite.

Vous vous apercevez alors que ces investisseurs viennent d'apprendre ce que vous saviez déjà : les emballements de l'économie réservent des lendemains amers. Cueillir les aubaines, c'est facile et gratifiant, mais réaliser un objectif de croissance et de dépassement devient exaltant.

8. L'argent placé à l'échéance opportune

En temps normal, deux ans et demi après avoir touché son dernier grand bas, le marché atteindra un nouveau sommet ou il en sera tout près. Vous aurez alors disposé de vos actions, vos avoirs seront liquides et disponibles pour un investissement. Vous devrez résister à vos impulsions même si des nouvelles alléchantes vous parviennent. La tentation de vouloir faire encore un peu de profit vous attire ; aussi, méfiez-vous. N'oubliez pas que l'inflation est galopante et continuera encore longtemps. Quant au marché, il ne suit plus : comme nous l'avons vu, il prévoit très tôt le cheminement de l'économie.

Si ce n'est pas déjà fait, videz votre portefeuille d'actions et placez cet argent dans des institutions financières. Assurez-vous que les échéances coïncident avec les périodes favorables à l'investissement.

Dans le chapitre intitulé « L'investissement graduel », nous verrons à quel moment vous aurez besoin de vos fonds. Ces instants sont prévisibles ; placez vos avoirs, gardez-vous une marge de manœuvre, mais résistez à la tentation de replonger dans le marché. Dans la structure de votre échéancier, tenez compte des statistiques compilées dans le passé, car l'avenir n'est bien souvent que le passé entré par une autre porte.

Il est raisonnable de prévoir que le creux de la prochaine baisse n'adviendra pas à moins d'un an du dernier grand sommet. Vous pouvez donc en toute quiétude placer 50% de vos avoirs à échéance d'un an. Investissez le reste de votre argent à différentes échéances successives, dont la dernière arrivera 4 ans au plus après le bas le plus récent du marché. Ainsi, vous éliminerez toute tentation d'investir à un moment inopportun et vous vous assurerez d'avoir des fonds disponibles quand le moment sera venu de réaliser l'investissement graduel que je vous explique aux prochains chapitres.

9. La diversification

Vous avez contrôlé vos impulsions et vous avez sagement attendu le moment propice ; il vous faut maintenant diversifier vos placements de façon à en diminuer les risques.

Il est facile de diversifier ; il suffit d'investir dans plusieurs compagnies. Mais il est plus difficile de diversifier tout en conservant un rendement élevé, et cette préoccupation fera l'objet d'un autre chapitre, celui de la volatilité ou capacité de réaction des actions aux forces du marché.

Selon ma méthode, vous devrez identifier seul vos cibles de placement ; votre jugement sera prépondérant. Vous ne vous tromperez pas si vous respectez certains principes d'investissement dont le premier consiste, nous le répétons, à vous mettre à l'abri de vos impulsions. Il se peut très bien qu'au moment d'investir, vous ayez l'impression qu'une certaine compagnie ou encore un secteur d'activité soit la seule voie vers le succès.

Persuadé que dans ce secteur ou cette compagnie vous ne pourrez faillir, vous serez tenté d'y consacrer toutes vos ressources. Pour éviter ce piège, adoptez le principe d'une diversification minimale, obligez-vous à un étalement assez étendu. Cette exigence s'applique d'abord au nombre de compagnies cibles, ensuite à leurs secteurs d'activités.

Le nombre de compagnies doit être assez élevé pour annuler les risques et pas trop, pour que vous puissiez choisir uniquement des entreprises à haut rendement. Comme nous le verrons plus loin, certains secteurs névralgiques fluctuent avec plus d'envergure que d'autres.

Vous devez d'abord identifier les secteurs. Vous constaterez très vite que les secteurs à possibilités de haut rendement ne fourmillent pas. Dans les pages qui suivent, vous verrez que sur un choix d'une cinquantaine de secteurs, je n'en ai retenu que dix tout au plus. À l'aide de l'instrument que je vous propose, l'identification du secteur devient une tâche des plus aisées.

Après cette étape, vous devrez déceler, à l'intérieur des secteurs, les compagnies qui vous intéressent tout particulièrement. Pourrez-vous dénicher cent compagnies conformes à vos exigences ? Non. Par expérience, j'établis la quantité idéale à 20. Trouver ce nombre de compagnies qualifiées est très possible et offre la diversification requise.

10. L'investissement graduel

J'aurais pu, il y a dix ans, écrire à peu près les mêmes propos mais, à cette époque, je n'aurais pas attaché beaucoup d'importance à la tentation qui nous guette tous, celle de vouloir à tout prix investir au creux de la vague.

Je savais déjà à cette époque qu'il fallait tenir compte du phénomène d'anticipation, lutter contre ses impulsions et aussi se protéger de l'influence de l'entourage et de l'environnement économique. Mais ces mesures ne suffisent pas. Il faut rejeter l'idée de n'investir que quand le marché est au plus bas, car cet idéal est inaccessible, il faut bien l'admettre.

M. Grandville a tenté d'établir une méthode précise pour reconnaître ces moments idéaux. Ses adeptes ont vécu les difficultés inhérentes à la recherche de l'instant propice. Ceux qui ont suivi ses conseils et vendu à découvert au printemps et à l'été de 1982 doivent garder un souvenir amer de l'obsession de M. Grandville ; en effet, ce prétendu devin a échoué dans sa tentative d'indiquer avec justesse les hauts et les bas du marché. Le problème n'est pas résolu, et il restera insoluble semble-t-il.

M. Grandville s'était déjà trompé en 1974. Il a avoué par la suite avoir commis une erreur, tout en ajoutant que jamais plus on ne l'y reprendrait. Il n'a pas compris sa leçon. Cette mauvaise expérience aurait dû lui apprendre à changer l'orientation de sa recherche. Il faut arriver au même résultat monétaire, oui, mais de façon différente. M. Grandville a continué de s'embourber au lieu de modifier sa méthode et de cesser de déterminer les bas et les hauts du marché.

La suite nous a montré que, pas plus qu'un autre, M. Grandville ne peut situer avec exactitude le bas du marché. Les indices annonciateurs des extrêmes sont mouvants, souvent non répétitifs et, par conséquent, insaisissables. Devant un tel problème, il ne faut pas s'entêter à vouloir indiquer ces moments coûte que coûte, il faut plutôt trouver un moyen d'arriver à s'en passer ; autrement dit, trouver une solution différente. Il suffit d'avoir assez de données pour situer *approximativement* le bas du marché.

Les statistiques permettent d'évaluer sans trop d'erreurs le bas du marché, en termes de moment et de profondeur, parce que la répétition des phénomènes provoqués par la banque centrale naît toujours des mêmes facteurs (Tableau 13). La réaction de cet organisme engendre les mêmes résultats : courbe, déroulement, dénouement, tout se répète à peu près pareillement. Il s'agit pour l'investisseur d'établir une façon objective d'injecter du capital, et qui soit adaptée aux petites variantes incluses dans la répétition des phénomènes.

L'investissement graduel pourrait s'avérer la bonne solution ; on introduit les sommes d'argent dans le marché selon un échéancier préétabli, qui tient compte d'abord de la baisse de l'indicateur boursier Dow Jones et ensuite du temps écoulé à l'intérieur du cycle boursier.

On doit tenir compte des facteurs répétitifs presque invariables cités dans le chapitre sur les cycles économiques et boursiers : moyenne de durée, moyenne de pourcentage de baisse, baisse minimale et temps minimal, tous les éléments guides. On donne à certains de ces éléments une valeur d'indicateur absolu, d'indicateur probable ou d'indicateur possible, selon le cas.

Il faut en outre choisir un point de départ pour les investissements. Depuis 20 ans, les cycles ont révélé des baisses de 27%, 25%, 36%, 45%, 27% et 24%. Le marché devrait donc baisser d'au moins 20% selon ces statistiques, et cette présomption vous servira pour débuter vos opérations. Investissez 50% de vos liquidités à ce stade. De quelle façon et dans quelle compagnie, nous le verrons plus loin.

Il vous reste donc 50% de vos liquidités. Il est presque certain que vous atteindrez l'une ou l'autre des moyennes, celle de la baisse ou celle des durées. Quand vous atteignez la première, assurez-vous que la totalité de vos liquidités soit investie. Cette moyenne devrait être dépassée, aussi utilisez vos marges pour continuer d'acheter. Procédez par étapes et gardez les yeux fixés sur les cas extrêmes.

En résumé, lorsque l'indice aura baissé de 20% depuis le dernier sommet, vous investirez 50% de vos liquidités. Vous devrez injecter l'autre moitié de votre capital par étapes, en tenant compte de 3 facteurs : moyenne des grandes baisses, durée moyenne de ces baisses et durée moyenne d'un grand bas à un autre.

Les impondérables de l'économie peuvent faire que l'une ou l'autre de ces moyennes ne soit pas atteinte pendant ce cycle : toutefois, il est presque certain que vous en atteindrez au moins une. Quand le marché aura rejoint la moyenne des baisses, ou la moyenne de durée des baisses, ou encore la moyenne de durée du cycle depuis le dernier grand bas, assurez-vous que tous vos avoirs sont investis.

Voici d'ailleurs quelques données dont vous devez vous rappeler :

a) La moyenne des baisses est de 30% ;
b) La durée moyenne des baisses est de 16 mois ;
c) La durée d'un grand bas à un autre est de 4 ans à 4 ans et demi.

Ces données concernent une période de vingt (20) ans.

À ce moment, vous avez épuisé vos avoirs mais il vous reste encore des ressources, soit votre marge auprès du courtier. C'est-à-dire que si vous avez des valeurs pour 50 000 $ en dépôt, vous pouvez continuer à acheter jusqu'à ce que vous atteigniez une proportion équivalent à 50% de ce dépôt. N'utilisez jamais votre marge en entier, parce que des cas nettement favorables peuvent vous passer sous les yeux et justifier un achat.

Fait paradoxal, vous plongez dans le marché alors que la plupart des investisseurs n'osent y mettre les pieds. Cette situation produit des occasions exceptionnelles, des cas extrêmes générateurs de profits énormes ; voilà pourquoi il ne faut pas épuiser vos marges. Gardez-en une de sécurité, ne vous en servez jamais pour acheter, elle couvrira les découvertes de marge éventuelle. Votre sécurité est prioritaire, il n'y a donc aucune place pour les impulsions du moment.

Résumons les éléments qui doivent vous guider : deux ans et demi après avoir touché le bas, le sommet devrait être atteint ou tout près de l'être. À ce moment, vos liquidités sont en dépôt dans des institutions financières ; vous avez régularisé vos sources de revenu pour pouvoir agir au moment opportun.

Le marché s'achemine vers une baisse minimale de 12 mois et de 20% au moins. La méthode que vous utilisez vous empêche d'investir au mauvais moment et vous guide quand vous investissez ; elle vous aide à diversifier vos placements et à injecter vos capitaux selon le niveau de baisse atteint.

De violents soubresauts vers la hausse entrecoupent les baisses ; méfiez-vous-en. Ce sont de faux indices. Vous croirez avoir manqué le bas mais ne suivez pas votre impulsion ; n'achetez jamais quand le marché remonte avant d'être descendu à 20% de son dernier sommet.

Les leçons du passé, phénomènes répétitifs, doivent vous servir de guides car le monde ne s'invente pas chaque jour, croyez-le. Échelonnez vos placements de façon graduelle, tenez compte des moyennes et assurez-vous que tous vos avoirs sont investis quand le marché dépasse l'une ou l'autre des moyennes.

Pour toute période supplémentaire ou toute baisse plus prononcée, agissez avec discernement et utilisez vos marges chez le courtier et à la banque. Réservez-vous toujours une marge de sécurité pour les couvertures de marge.

La baisse peut atteindre 30%, mais il serait étonnant qu'elle dépasse 35%. Rappelez-vous que si vous essayez d'acheter uniquement au plus creux, vous risquez d'investir trop vite ou de ne pas investir du tout. Si vous n'établissez pas un mode de fonctionnement systématique et très rigide, vous risquez de vous embourber dans un marché encore à la baisse et de ne plus disposer de fonds pour bénéficier des aubaines.

Lors des paniques, certaines compagnies, d'habitude très prospères et dynamiques, atteignent des bas incroyables et imprévisibles. À ce moment-là, n'écoutez pas les rumeurs et ne vous fiez pas aux journaux. Écoutez plutôt le murmure lointain des leçons du passé.

Tableau 15

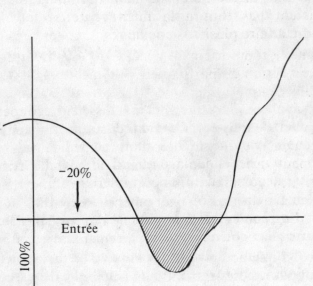

11. L'achat échelonné à divers niveaux de baisse

Il serait préférable d'acheter les actions à leur niveau le plus bas, mais on ne peut situer ce niveau précis à l'aide de la logique ou du raisonnement. La seule solution rationnelle consiste à échelonner la cueillette.

Dans le chapitre sur la diversification, je conseille d'investir dans plusieurs variétés d'actions : pour s'assurer d'une bonne récolte, le pommiculteur diversifie sa production en plusieurs variétés de pommes, car les variétés ne mûrissent pas toutes à la même époque. Il en va de même pour la baisse des actions : certaines dégringolent alors que d'autres ont déjà fini de baisser. Dans le même pommier, les fruits ne mûrissent pas tous à la même date, il faut donc s'astreindre à faire plusieurs cueillettes.

Comme le comportement général du marché influence celui d'une action en particulier, vous devrez investir par étapes dans chaque compagnie. Mais attention, l'influence ne se fait pas toujours sentir d'une façon rigide : le prix d'une action peut ignorer pendant un certain temps le comportement de l'ensemble du marché ; le temps de réaction peut varier d'une action à l'autre. La fluctuation ne reflète pas nécessairement le barème orchestre qu'est l'indicateur Dow Jones ou tout autre indicateur de marché boursier. La répercussion produite par l'évolution de la conjoncture vient souvent en retard et par saccades.

Le prix d'une action évolue selon sa propre courbe et elle ne suit pas nécessairement celle de l'indicateur. Celui-ci peut baisser de 5% pendant que le prix d'une action demeure stable, baisse davantage ou progresse un peu. Puis, tout à coup, pendant que le Dow Jones fléchit d'un petit 5%, le prix de cette action descend de 20% ; il faut donc, pour chaque action, que vous échelonniez vos achats à divers niveaux de baisse, que vous les quantifiiez de façon à respecter la règle de la diversification. Chaque injection de capital importante doit être distribuée dans plusieurs compagnies cibles.

Si votre capital est faible, il se peut que vous ne puissiez répartir chaque injection dans les 20 compagnies cibles. La diversification rend vos placements sûrs, mais à la condition que vous échelonniez vos achats à divers paliers de baisse.

Il vous faut obtenir des prix justes à tous les niveaux et ceci pour toutes les compagnies.

Les derniers soubresauts au creux de la vague du marché seront les plus intéressants et toutes les compagnies les ressentiront. Chaque action de compagnie bénéficiera de plusieurs injections de capital. Les chances sont alors meilleures d'obtenir un prix qui reflétera la baisse et ceci pour chaque compagnie.

Par exemple, pendant la baisse générale du marché, le prix de l'action de Merrill Lynch a décru de 48 à 20. Grâce à la méthode de la répartition verticale, vous n'auriez pas tout injecté au même prix. Il est fort probable que vous auriez acheté des actions de cette compagnie à 25, à 23 et peut-être à 22.

Nous avons vu précédemment que grâce à la répartition des risques, vous vous êtes assuré de 20 récoltes dans des champs différents. À chaque injection de capital, semez partout ; comme le fermier, étendez très large votre bras et éparpillez la semence, couvrez le plus de champs possible. Chaque injection doit toucher des actions de toutes vos cibles.

De même, au creux du marché, faites plusieurs achats de la même compagnie à des prix différents. Vous réalisez ainsi une répartition verticale. Vos chances sont meilleures d'atteindre le rendement maximal pour le plus grand nombre de compagnies.

12. L'instrument du choix

Vous devrez choisir vos 20 compagnies à partir de données objectives, dont la gamme doit être assez étendue pour répondre aux exigences de critères de sélection bien définis. Je connais un seul instrument qui fournit les informations nécessaires pour effectuer un choix judicieux : le Value Line Investment Survey de la maison Arnold

Bernard & Cie, 711 Third Avenue, New York 10017. Je connais cette publication depuis au moins 10 ans et elle me paraît adéquate pour répondre aux exigences de ma méthode. (Malheureusement pour les Canadiens, presque toutes les compagnies traitées sont américaines.)

Il vous faut des informations et non des recommandations ; aussi, quelques mois avant de commencer à investir, abonnez-vous à cette publication. Vous recevrez alors un livre de 5 pouces d'épaisseur. Cette « brique » contient des informations pertinentes sur plus de 2 000 compagnies. Chacune d'elles couvre une page semblable à celle qui est reproduite ci-après (Tableau 16). L'abonnement comprend un service de mise à jour et vous recevrez chaque semaine un fascicule qui remplace les données désuètes du livre.

Les compagnies sont d'abord divisées en secteurs, qui contiennent une vingtaine de celles-ci en moyenne. J'énumère quelques-uns de ces nombreux secteurs, mais pour des motifs de rendement, il nous faudra en éliminer une très grande quantité (90%). Des exigences exposées plus loin nous forceront à retenir au plus 10 secteurs, qui pourront varier à chaque cycle et parmi lesquels nous choisirons nos 20 compagnies.

SECTEURS :

AUTO & TRUCK INDUSTRY
AUTO PARTS (REPLACEMENT) INDUSTRY
TIRE & RUBBER INDUSTRY
HOME APPLIANCE INDUSTRY
PRECISION INSTRUMENT INDUSTRY
ELECTRIC UTILITY (EAST) INDUSTRY
HEALTH CARE/HOSPITAL SUPPLIES INDUSTRY
AIR TRANSPORT INDUSTRY
TRUCKING & TRANSPORT LEASING INDUSTRY...
Etc. (plus de 100 secteurs)

Par exemple, en 1982, les secteurs énumérés ci-dessous étaient des secteurs très propices aux investissements et

Tableau 16

HUTTON (E.F.) NYSE-EFH

| RECENT PRICE | **44** | P/E RATIO | **7.2** | (Trailing: 8.1 Median: 6.0) |)EARN'S YLD | **13.9%** | DIV'D YLD | **1.9 %** | **1182** |

| | 6.6 | 5.0 | 2.5 | 5.0 | 8.3 | 5.8 | 7.8 | 7.4 | 37.8 | 39.1 | 46.8 | Target Price Range |
| High— | 3.9 | 1.8 | 1.3 | 1.8 | 4.0 | 4.0 | 3.5 | 4.9 | 6.6 | 15.8 | 17.5 | 27.8 | 1984 1985 1986 1987 |

Options Trade On ASE

7.5 × Earnings × sh

5-for-4 split

Relative Price Strength

May 20, 1983 Value Line

TIMELINESS **1** Highest
(Relative Price Perform-
ance Next 12 Mos.)

SAFETY **4** Below Average
(Scale: 1 Highest to 5 Lowest)

BETA 1.80 (1.00 = Market)

1985-87 PROJECTIONS
	Price	Gain	Ann'l Total Return
High	95	(+118%)	22%
Low	55	(+ 26%)	8%

Insider Decisions 1982
	J F M A M J J A S O N D J F M
to Buy	0 0 0 0 0 0 0 0 0 0 0 0 0 0 0
to Sell	8 2 4 7 4 6 2 4 7 2 0 6 4 1 2

Institutional Decisions
	4Q'81	1Q'82	2Q'82	3Q'82	4Q'82
to Buy	21	17	20	27	25
to Sell	17	16	21	15	22
Hldg's(000)	6305	5480	5684	8084	7594

Percent shares traded	12.0				
	8.0				
	4.0				

1966	1967	1968	1969	1970	1971	1972	1973	1974	1975	1976	1977	1978	1979	1980	1981	1982	1983	©Value Line, Inc.	85-87E
--	--	--	--	--	8.20	8.23	8.91	10.50	14.87	17.45	16.98	25.73	38.14	53.92	66.87	71.91	78.00	Revenues per sh	84.35
--	--	--	--	--	65.3%	60.5%	62.5%	59.6%	61.6%	60.1%	52.7%	49.2%	38.3%	37.4%	26.2%	26.1%	32.0%	% Commission	35.0%
--	--	--	--	--	7.0%	9.2%	5.5%	6.8%	9.5%	10.2%	10.0%	7.7%	8.4%	6.9%	6.9%	10.6%	12.6%	% Principal Trans	18.0%
--	--	--	--	--	17.2%	17.2%	11.1%	11.3%	14.2%	13.9%	16.8%	11.3%	9.5%	10.4%	10.7%	12.6%	12.6%	% Invest Banking	18.0%
--	--	--	--	--	9.7%	12.3%	19.1%	19.6%	12.0%	12.5%	16.8%	19.3%	31.3%	33.7%	40.1%	30.6%	24.0%	% Interest Income	20.0%
--	--	--	--	--	8%	.8%	1.8%	2.7%	2.7%	3.3%	3.7%	12.5%	12.4%	11.8%	18.1%	20.1%	18.0%	% Other	20.0%
--	--	--	--	--	.61	.63	.28	.32	1.11	1.27	.89	1.34	1.86	3.94	3.45	3.46	6.00	Earnings per sh	7.50
--	--	--	--	--		.08	.10	.11	.14	.20	.20	.22	.25	.40	.61	.64	.78	Div'ds Decl'd per sh	1.15
--	--	--	--	--	2.27	3.32	3.49	3.71	4.69	5.60	6.25	7.22	8.84	12.42	15.52	18.68	24.00	Book Value per sh	41.60
--	--	--	--	--	15.25	18.03	17.60	17.56	17.02	18.03	19.69	20.27	19.97	20.87	21.59	22.20	26.00	Common Shs Outst'g	26.60
						8.1	9.8	5.7	3.3	4.6	5.4	3.9	3.1	3.8	7.6	7.4		Avg Ann'l P/E Ratio	10.0
						12.4%	10.2%	17.5%	30.3%	21.7%	18.5%	25.6%	32.3%	26.3%	13.2%	13.5%		Avg Ann'l Earn's Yield	10.0%
						1.6%	3.9%	5.9%	4.0%	3.4%	4.2%	4.2%	4.4%	2.7%	2.3%	2.5%		Avg Ann'l Div'd Yield	1.6%

CAPITAL STRUCTURE as of 12/31/82
Total Debt $1272.7 mill. Due in 5 Yrs $1104.4 mill
LT Debt $349.2 mill. LT Interest $38.1 mill.
Incl. $59.9 mill. 9½% debs. ('05), ea. cv into 36.34 com. shs. at $27.52, called at 108.2 as of 5/20/83; $4.3 mill. 5% sub. debs. ('88), ea. cv. into 22.8 com. shs. at $43.91.
(LT interest earned: 4.3x; total interest coverage: 1.3x) (46% of Cap'l)
Leases, Uncapitalized Annual rentals $43.5 mill.
Pension Liability None in '82 vs None in '81
Pfd Stock None
Common Stock 22,405,028 shs. (54% of Cap'l) as of 3/11/83 (24.6 mill. fully diluted shs.)
Adj. for 5-for-4 split paid 4/22/83

	148.3	156.9	184.5	253.1	314.7	334.4	525.8	750.3	1125.3	1444.0	1596.5	1860	Total Revenues ($mill)	2500
	10.9	4.9	5.7	20.1	23.5	16.1	28.2	37.3	82.6	78.8	81.1	150	Net Profit ($mill)	200
	52.8%	50.7%	53.5%	54.1%	51.9%	52.0%	49.3%	45.6%	47.0%	38.6%	35.5%	44.0%	Income Tax Rate	42.0%
	7.3%	3.1%	3.1%	8.0%	7.5%	4.8%	5.4%	5.0%	7.3%	5.5%	5.1%	7.7%	Net Profit Margin	8.0%
	22.1	34.2	34.8	35.0	35.0	51.1	64.4	64.0	188.4	357.6	349.2	300	Long-Term Debt	500
	59.9	61.4	65.1	79.8	101.0	123.2	146.5	173.9	259.2	335.2	414.7	1100	Net Worth ($mill)	1100
	14.1%	6.7%	7.3%	18.6%	18.2%	10.2%	15.1%	17.4%	20.7%	14.6%	13.1%	18.0%	% Earned Total Cap'l	14.0%
	18.2%	8.0%	8.8%	25.2%	23.3%	13.1%	19.3%	21.4%	31.9%	23.5%	19.6%	24.0%	% Earned Net Worth	18.0%
	15.8%	4.9%	5.9%	22.1%	19.9%	10.3%	16.2%	18.5%	28.8%	19.6%	16.2%	21.6%	% Retained to Common Eq	16.5%
	13%	38%	83%	12%	15%	22%	16%	13%	10%	17%	17%	12%	% All Div'ds to Net Prof	16%

CURRENT POSITION 1980 1981 12/31/82
	1980	1981	12/31/82
Cash Assets	173.0	108.2	160.3
Receivables	1377.8	1707.1	1787.3
Inventory (MKT)	935.6	892.4	2145.9
Other	1742.7	1912.8	2040.1
Current Assets	4229.1	4620.5	6133.6
Accts Payable	1026.4	948.9	1363.8
Debt Due	692.8	1061.7	923.5
Other	2137.9	2499.4	3719.7
Current Liab.	3856.8	4510.0	6027.0

ANNUAL RATES Past Past Est '80-'82
of change (per sh)	10 Yrs	5 Yrs	to '85-'87
Revenues	--	31.5%	8.0%
Earnings	--	27.0%	16.0%
Dividends	--	24.0%	16.5%
Book Value	--	23.0%	21.5%

TOTAL REVENUES ($ mill.)
Cal- endar	Mar. 31	June 30	Sept. 30	Dec. 31	Full Year
1979	140.8	177.8	211.7	220.0	750.3
1980	261.6	290.8	259.6	313.3	1125.3
1981	320.3	373.6	345.0	405.1	1444.0
1982	315.9	344.5	428.4	507.7	1596.5
1983	499.8	605	435	610.2	1960

EARNINGS PER SHARE
Cal- endar	Mar. 31	June 30	Sept. 30	Dec. 31	Full Year
1979	.25	.48	.58	.55	1.86
1980	.98	1.03	.86	1.07	3.94
1981	.99	.94	.50	1.02	3.45
1982	.16	.32	1.28	1.70	3.46
1983	1.54	1.55	1.39	1.81	6.00

QUARTERLY DIVIDENDS PAID (C)
Cal- endar	Mar. 31	June 30	Sept. 30	Dec. 31	Full Year
1979	.056	.066	.066	.066	.25
1980	.082	.082	.102	.128	.39
1981	.128	.16	.16	.16	.61
1982	.16	.16	.16	.16	.64
1983	.16				

BUSINESS: E.F. Hutton Group Inc. is a financial services holding company. Its brokerage subsidiary has 5,309 account executives located in 344 offices; 327 in U.S., 17 overseas. Also engaged in investment banking and institutional sales. Active as a commodity futures broker, market-maker in OTC issues, and bond dealer; also sells insurance and annuities. Acquired E.F. Hutton Credit 5/81. Sold interest in Gulfstream Aerospace, 9/82. Has about 1,000,000 clients, 13,376 employees. Directors own about 10.1% of outstanding stock. Chairman, President & C.E.O.: Robert M. Fomon. Inc.: Del. Address: 1 Battery Park Plaza, New York, New York 10004.

We expect a new earnings record in 1983. The strength and resilience of the capital markets as 1983 wears on have prompted us to raise our sights for Hutton's performance this year. The recovering economy, combined with reduced inflation, appear to support our prediction of a strong earnings gain. These shares are now ranked 1 (Highest) for year-ahead relative performance.

Commission business continues strong. Daily NYSE trading volume averaged 85 million shares in the March quarter, 65% above 1982's level and close to the frenetic fourth-quarter pace. It's no surprise that Hutton's commissions jumped 100% year-to-year in the March period. More interesting is the 8% increase from the December period figure. As Hutton is usually thought of as primarily a retail firm. Yet large block trading (a clue to institutional activity) increased from a low of 40.4% of NYSE volume in December to 44.4% in March. We conclude that last fall's turnover in Hutton's research department has not impaired its institutional sales effort.

Principal transactions are expanding. These profits from market-making and trading for the firm's own account grew 12% from the December quarter to the March quarter. While these are generally the most volatile portion of a broker's profits, we think the market environment may remain favorable enough this year to allow continued contributions.

Interest income is on the rise again. This doesn't imply higher rates, however. The increased level of trading and the higher market value of securities have caused an expansion of margin debt. Net interest income in the first quarter was $24.7 million, its highest level in five quarters.

Insurance is showing steady growth. Hutton sells "universal life" insurance, (which its life company invented) and tax deferred annuities (not those of troubled Baldwin-United, however). These revenues grew at a 10% annual rate in the first quarter. We think this business fits well with brokerage and increases Hutton's commitment to the retail business it knows so well. *J.S./D.L.H.*

Restated Sales (and Pretax Profit Margins) by Business Line
	1980	1981	1982	1983
Securities Brkrge	1051.0(14.5%)	1209.8(8.6%)	1360.1(7.7%)	1860(14.5%)
Life Insurance	74.3(5.0%)	125.5(6.4%)	184.1(12.3%)	210(12.0%)
Leasing & Credit	-(-)	48.7(4.0%)	72.3(1.7%)	90.0(2.0%)
Company Total	1051.0(13.0%)	1444.0(8.0%)	1596.5(7.9%)	1960(13.0%)

(A) Insurance, invest't inc. from ins. subsids., and other income. (B) Based on average shares and equivalents outstanding. Next earnings report due late July. (C) Next div'd meet'g about Aug. 5. Next ex date May 27. Approx. div'd paym't dates: Mar. 15, June 15, Sept. 15, Dec. 15. (D) In mill., adjusted for 'stock splits & div'ds.

Company's Financial Strength B
Stock's Price Stability 20
Price Growth Persistence 80
Earnings Predictability 45

Factual material is obtained from sources believed to be reliable but cannot be guaranteed.

notre méthode recommandait de choisir la plupart de nos 20 compagnies cibles parmi ceux-ci :

PRECISION INSTRUMENT INDUSTRY
HEALTH CARE/HOSPITAL SUPPLIES INDUSTRY
FAST FOOD SERVICE INDUSTRY
MEDICAL SERVICE INDUSTRY
ELECTRONICS INDUSTRY
COMPUTER/DATA PROCESSING INDUSTRY
SECURITIES BROKERAGE INDUSTRY.

13. La volatilité

Les grandes baisses du Dow Jones depuis 20 ans enregistrent en moyenne 30% et les remontées 60%. Pareille différence pourrait démontrer que le Dow Jones progresse beaucoup. Mais attention, il y a ici une distorsion puisque le chiffre de base pour calculer la remontée est beaucoup plus petit. Lorsque l'indice descend de 1 000 à 700, il a baissé de 30% ; mais si de 700 il remonte à 1 000, la progression indique 43%. Les chiffres atteints sont les mêmes, mais la base de comparaison diffère. Toutefois, en valeur absolue, la moyenne des remontées de 60% l'emporte sur celle des baisses.

À moins que vous ne soyez un connaisseur, il vous semblera qu'une fluctuation aussi faible ne vous permet pas de faire des gains aussi intéressants que ceux que vous espériez. L'indice de variation du Dow Jones reflète les fluctuations, mais pour des situations moins agitées que celles sur lesquelles nous jetterons notre dévolu.

Le Dow Jones indicateur de la bourse de New York ne représente que 30 grosses compagnies dont la réaction ou la fluctuation à l'état de l'économie n'est pas très accentuée. Ce sont : Allied Corp., Alunix Aluminium Co., Amer Brans., Amer Can., Amer Express., Amer Tel. & Tel.,

Bethlehem Steel., Du Pont, Eastman Kodak, Exxon Corp., General Electric, General Foods, General Motors, Goodyear Tire, I.B.M., Inco Limited, Int'l Harvester, Int'l Paper, Merck & Co., Minnesota Mining, Owens Illinois Inc., Procter & Gamble, Sears, Standard Oil (Cal.), Texaco, Union Carbide, United Technologies, U.S. Steel, Westinghouse Electric, Woolworth. Parmi celles-ci, la compagnie Goodyear reflète assez bien la sensibilité du Dow Jones. Par exemple, une variation du Dow Jones de 780 à 1 200 projette chez Merrill Lynch une variation de prix de 20 à 100, alors qu'elle n'entraîne chez Goodyear qu'une variation de 25 à 30.

Certaines compagnies réagissent ainsi avec plus d'ampleur. La fluctuation naît partout du même phénomène, mais la réaction s'accentue chez les compagnies plus sensibles : leurs prix ont plus de volatilité. Il s'agit le plus souvent de compagnies en pleine expansion, vouées à un avenir brillant et à de gros profits.

Les gens apeurés par la perspective d'une nouvelle crise se départiront de ce genre d'actions. C'est comme au jeu des dominos : à cause de plusieurs facteurs, une baisse en engendre une autre. Certains actionnaires paniquent, d'autres doivent vendre pour couvrir leur marge ; il en résulte une accélération de la baisse, et la panique augmente. Le phénomène agit dans les deux sens, car le succès engendre le succès. L'enthousiasme exagère souvent les montées, qui ne reflètent pas les données véritables avec objectivité. Il en va de même pour la panique qu'engendrent les baisses.

Le degré de fluctuation du prix des actions d'une compagnie se mesure par sa volatilité (Bêta). Si l'on considère que le Dow Jones a un bêta de 1, d'autres compagnies plus sensibles auront un bêta de 1,30, 1,50, et même 1,85. À l'inverse, les plus stables indiqueront 0,65, 0,60, 0,55, etc.

Les compagnies de services publics, d'électricité, de téléphone et d'autres entreprises semblables ont un degré de variation moindre ; elles ont une volatilité très basse.

Ainsi l'on arrive à déterminer la volatilité : les compagnies établies dans des domaines de plus récente évolution et dotées d'assises moins fortes accentuent les soubresauts de l'économie. On peut donc qualifier ces variations pour chaque compagnie : plus la volatilité s'élève, plus la sensibilité s'accentue. Aux tableaux 17 et 18, vous pouvez observer certaines pages apparaissant dans le Value Line Investment Survey. Comparez la volatilité de Merrill Lynch, c'est-à-dire le bêta de 1,70 inscrit dans le coin droit en haut du tableau, à celle de Philadelphia Electric (qui n'est que de 0,60).

Les actions de compagnie à faible volatilité ne nous intéressent pas ; leur capacité de réaction aux forces du marché est trop faible. Observons par contre celle des compagnies énumérées ci-après :

BÊTA OU VOLATILITÉ

AMDAHL CORP.	1,55	NAT'L MED. ENT.	1,40
AMER. MED. INT'L	1,35	NAT'L MED. CARE	1,25
APPLE COMPUTER	1,85	NATIONAL PATENT	1,35
BEVERLY ENT.	1,40	PACIFIC SCI.	1,50
CHARTER MEDICAL	1,30	PRIME COMPUTER	1,65
COHERENT INC.	1,35	RECOGNITION EQ.	1,50
COLECO INDS.	1,20	SCA SERVICES	1,25
FLIGHTSAFETY	1,30	SIMMONDS PREC.	1,35
FLOW GENERAL	1,55	SPECTRA-PHYSICS	1,45
GCA CORP.	1,65	TELEFLEX INC.	1,40
GERBER SCIENTIFIC	1,65	VEECO INSTR.	1,55
HUMANA INC.	1,35	VOLT INFO. SCI.	1,30
M/A-COM' INC.	1,60		
MCI COM' CATIONS	1,50		

La fluctuation se répercute avec beaucoup d'ampleur sur ces 26 compagnies ; les forces du marché projettent

Tableau 17

MERRILL LYNCH NYSE-MER

RECENT PRICE	P/E RATIO	EARN'S YLD	DIV'D YIELD	
48	7.7 (Trailing: 9.9 Median: 7.5)	13.0%	1.9%	1184

High	20.0	23.0	16.4	7.6	10.3	18.3	12.8	12.4	11.0	19.7	22.2	35.7	51.0
Low	14.4	12.0	6.2	3.2	5.1	7.3	7.0	6.7	7.7	7.8	14.4	10.5	27.5

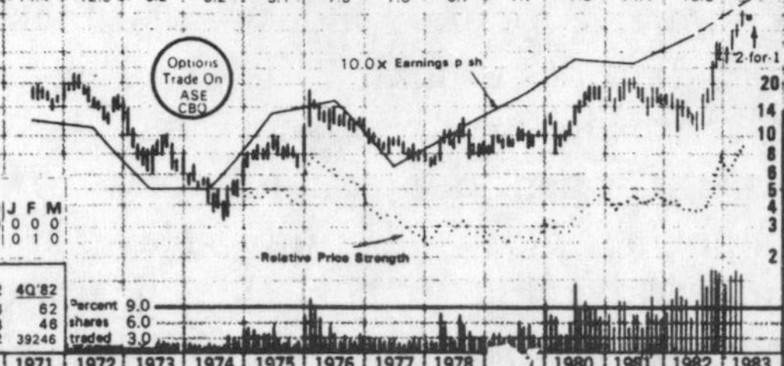

Options Trade On ASE CBO
10.0× Earnings p sh
2-for-1 split
Relative Price Strength
Percent shares traded
9.0
6.0
3.0

Target Price Range: 80, 60, 50, 40, 30 — 1984 | 1985 | 1986 | 1987

Insider Decisions 1982

	J	F	M	A	M	J	J	A	S	O	N	D	J	F	M
to Buy	0	0	0	0	0	0	0	0	1	0	0	0	0	0	0
to Sell	0	0	0	1	0	1	2	0	3	1	0	1	0	1	0

Institutional Decisions

	4Q'81	1Q'82	2Q'82	3Q'82	4Q'82
to Buy	44	49	40	66	62
to Sell	34	40	44	38	46
Hldg's(000)	28292	33352	32252	37362	39246

May 20, 1983 Value Line

TIMELINESS (Relative Price Performance Next 12 Mos.) **1** Highest

SAFETY **3** Average (Scale: 1 Highest to 5 Lowest)

BETA 1.70 (1.00 = Market)

1985-87 PROJECTIONS

	Price	Gain	Ann'l Total Return
High	105	(+120%)	22%
Low	70	(+ 45%)	11%

1966	1967	1968	1969	1970	1971	1972	1973	1974	1975	1976	1977	1978	[illegible]	1980	1981	1982	1983	© Value Line, Inc.	85-87E
--	--	--	--	--	10.55	11.21	11.02	11.12	13.77	16.00	15.90	20.95	28.23	40.58	52.18	64.40	*74.10*	Revenues per sh	*111.75*
--	--	--	--	--	53.4%	52.5%	49.9%	36.4%	41.3%	39.4%	32.5%	35.7%	31.2%	33.4%	22.8%	22.5%	*28.0%*	% Commissions	*28.0%*
--	--	--	--	--	21.0%	18.2%	14.7%	19.7%	19.1%	23.1%	16.7%	13.5%	14.1%	10.2%	10.9%	13.0%	*14.0%*	% Principal Trans	*15.0%*
--	--	--	--	--	9.2%	9.9%	8.1%	8.4%	12.8%	10.2%	10.6%	9.0%	7.5%	8.9%	8.5%	11.8%	*13.0%*	% Invest Banking	*14.0%*
--	--	--	--	--	13.7%	16.3%	23.2%	28.8%	20 9%	21.1%	31.4%	32.7%	37.1%	37.4%	45.4%	38.6%	*30.0%*	% Interest Income	*28.0%*
--	--	--	--	--	2.7%	3.1%	4.1%	6.[illegible]	5.9%	6.2%	8.8%	9.1%	10.1%	10.1%	12.4%	14.1%	*15.0%*	% Other	*15.0%*
--	--	--	--	--	1.24	1.09	.52	.5[illegible]	1.35	1.51	.63	1.00	1.63	2.76	2.57	3.80	*6.25*	Earnings per sh (A)	*9.75*
						.21	.28	.28	.30	40	.43	.44	.46	.52	.60	.66	*.80*	Div'ds Decl'd per sh (B)■	*1.5*
						6.81	7.01	6.96	7.98	8.99	9.13	9.67	10.79	13.02	15.04	18.36	*23.80*	Book Value per sh	*41.20*
						64.50	64.81	71.98	71.14	70.32	70.73	72.96	72.69	74.47	77.39	78.04	*83.00*	Common Shs Outst'g	*85.00*
						15.6	16.8	9.6	5.9	8.4	14.5	8.9	5.7	4.9	6.9	4.8		Avg Ann'l P/E Ratio	*9.0*
						6.4%	6.0%	10.4%	17.0%	11.9%	6.9%	11.2%	17.5%	20.4%	14.5%	20.8%		Avg Ann'l Earn's Yield	*11.1%*
						1.2%	3.2%	5.6%	3.7%	3 2%	4.7%	4.9%	5.0%	3.8%	3.4%	3.6%		Avg Ann'l Div'd Yield	*1.7%*
						723.2	714.4	800.6	979.3	1124.9	1124.2	1528.7	2052.0	3022.5	4038.2	5026.2	*6160*	Total Revenues ($mill)	*9500*
						70.1	33.7	37.5	95 7	106.6	44.0	71.3	118.7	203.4	202.9	308.8	*520*	Net Profit ($mill)	*825*
						45.1%	44.7%	47.4%	51.4%	48.4%	38 3%	37.9%	39.5%	44.5%	39.2%	44.4%	*47.0%*	Income Tax Rate	*45.0%*
						9.7%	4.7%	4.7%	9.8%	9.5%	3.9%	4.7%	5.8%	6.7%	5.0%	6.1%	*8.5%*	Net Profit Margin	*8.7%*
						20.0	40.0	40.0	--	--	102.5	287.1	277.3	367.1	501.7	756.9	*1000*	Long-Term Debt	*1750*
						444.3	459.2	506.0	567.4	632.1	645.9	705.9	764.3	969.5	1163.9	1432.9	*1975*	Net Worth ($mill)	*3500*
						15.3%	7.2%	7.2%	16.9%	16.9%	6.4%	8.4%	12.5%	16.8%	14.0%	15.8%	*19.0%*	% Earned Total Cap'l	*17.0%*
						15.8%	7.3%	7.4%	16.9%	16.9%	6.8%	10.1%	15.1%	21.0%	17.4%	21.6%	*26.5%*	% Earned Net Worth	*23.5%*
						12.9%	3.4%	3.8%	13.2%	12.4%	2.1%	5.7%	10.9%	17.0%	13.5%	18.0%	*23.0%*	% Retained to Comm Eq	*20.0%*
						19%	54%	49%	22%	27%	69%	44%	28%	19%	22%	17%	*13%*	% All Div'ds to Net Prof	*15%*

CAPITAL STRUCTURE as of 4/1/83

Total Debt $12334.7 mill. **Due in 5 Yrs** $11965.8 mill.
LT Debt $835.3 mill. **LT Interest** $82.0 mill.
Incl. $97.3 mill. 9¼% sub. debs. ('05), each conv. into 50 com. shs. at $20, called at 108 as of 5/25/83; $55.1 mill. 10.3% sub. debs. ('05), each conv. into 56.2 com. shs. at $17.80, callable at 108.7 beg. 1985; $100.0 mill. 8⅞% sub. debs. ('07), each conv. into 31.9 com. shs. at $31.38, callable at 107.2 beg. 11/1/84.
(LT interest earned: 8.5x; total interest coverage: 1.4x) (34% of Cap'l)
Leases, Uncapitalized Annual rentals $124.4 mill.
Pension Liability None in '82 vs None in 1981
Pfd Stock None
Common Stock 84,653,012 shs. (66% of Cap'l) **as of 5/6/83** (89.2 mill. fully diluted shs.)
Adj. for 2-for-1 split record date 6/1/83.

CURRENT POSITION ($mill.)	1981	1982	4/1/83
Cash Assets	1012.8	1259.8	1229.1
Receivables	10683.5	11921.2	12103.1
Inventory (MKT)	4212.8	5371.5	6273.5
Current Assets	15909.1	18552.5	19605.7
Accts Payable	4629.6	5704.4	5974.6
Debt Due	10003.7	11229.5	11499.3
Other	1383.3	1573.6	1830.9
Current Liab.	16016.6	18507.5	19304.8

ANNUAL RATES of change (per sh)	Past 10 Yrs	Past 5 Yrs	Est '80-'82 to '85-'87
Revenues	--	28.0%	*16.5%*
Earnings	--	21.5%	*26.0%*
Dividends	--	9.5%	*20.5%*
Book Value	--	12.0%	*21.5%*

Calendar	TOTAL REVENUES ($ mill.) Mar. 31	June 30	Sept. 30	Dec. 31	Full Year
1979	438.1	492.8	528.7	592.4	2052.0
1980	694.3	764.7	710.1	853.4	3022.5
1981	891.3	1023.8	1008.9	1114.2	4038.2
1982	1029.9	1133.5	1307.8	1555.2	5026.2
1983	1427.4	*1600*	*1400*	*1722.6*	*6150*

Calendar	EARNINGS PER SHARE (A) Mar. 31	June 30	Sept. 30	Dec. 31	Full Year
1979	.27	.44	.52	.40	1.63
1980	.49	.90	.69	.68	2.76
1981	.59	.86	.44	.68	2.57
1982	.38	.45	1.23	1.74	3.80
1983	1.54	*1.60*	*1.35*	*1.76*	*6.25*

Calendar	QUARTERLY DIVIDENDS PAID (B) Mar. 31	June 30	Sept. 30	Dec. 31	Full Year
1979	.11	.11	.12	.12	.46
1980	.12	.12	.14	.14	.52
1981	.14	.14	.16	.16	.60
1982	.16	.16	.16	.18	.66
1983	.18				

BUSINESS: Merrill Lynch & Co., Inc., a holding company, controls world's largest securities broker with 10,150 account executives. Has 550 offices. Active in commodity futures, government and municipal securities, investment and merchant banking, real estate financing, relocation services, real estate brokerage and mortgage insurance. Commissions currently acc't for under 30% of revs., one of lowest such proportions among retail firms. Expanding into most finan. svc. areas. Initial public offering 6/23/71. Has 37,882 empls., 19,271 stkhldrs. Insiders own less than 1% of com. Chrmn.: Roger E. Birk. Pres.: W.A. Schreyer. Inc.: Del. Address: 1 Liberty Plaza, N.Y., N.Y. 10080.

We think '83 will be a great year for Merrill Lynch. Until last year's third quarter, the financial giant had gone without a positive earnings comparison for five quarters in a row. Now it has put together a string of three up reports. If the recovering economy and lower inflation and interest rates are enough to keep the markets moving, as we expect they are, the firm may score another earnings record this year. These shares will probably continue their superior relative performance over the coming six to 12 months.

Commissions are forging ahead. Average daily trading on the NYSE jumped ahead by 65% year-to-year in the March quarter. Merrill's commissions increased by nearly 93%. We think commissions will outstrip interest income as the revenue leader in '83 for the first time since 1978.

Investment banking's gains are impressive as well. Municipal bonds and unit trusts have been hot sellers. Meanwhile, corporations have been taking advantage of the strong market to float equity and debt issues. Merrill isn't neglecting mutual funds either. It recently underwrote the largest initial mutual fund offering ever, devoted to high-tech growth stocks. It's no surprise, that investment banking revenues grew 114% year-to-year in the March period.

Merrill Lynch is buying a small S&L. A plan to buy Raritan Valley Financial, a small New Jersey thrift institution, for $8 million cash was recently announced. Assuming regulators and Raritan's shareholders approve over the next few months, Merrill will be able to offer insured deposit accounts to its customers. Consumer lending may also be a possibility.

One convertible has been called, but another one merits consideration. The 9¼s of 2005 have been called as of May 25th. However, the 8⅞s of 2007 out-yield the common by 3½ percentage points and they're call-protected until October '84. The bonds are top-rated by the Value Line Convertibles service. They provide income-oriented or risk-averse investors a more acceptable way to participate in the common's appreciation potential.

J.S./D.L.H.

Restated Sales (and Net Profit Margins) by Business Line

	1980	1981	1982	1983
Investment Svcs	2779.2 (7.1%)	3655.4 (5.0%)	4573.8 (6.1%)	*5640(8.7%)*
Real Estate Svcs	139.5(d12.8%)	250.9(d3.0%)	327.5 (1.5%)	*400(2.5%)*
Insurance Svcs	103.7(20.2%)	131.9(20.8%)	124.9(20.8%)	*110(20.0%)*
Company Total	3022.4 (6.7%)	4038.2 (5.0%)	5026.2 (6.1%)	*6150(8.5%)*

(A) Primary earnings. Excludes extraord. losses: '71, 20¢; '72, 31¢. Includes Family Life Insur. from Nov. '74. Next quarterly earnings report due late July.

(B) Next div'd meeting about July 25. Goes ex about Aug. 1. Div'd payment dates: Feb. 18, May 25, Aug. 25, Nov. 18. ■ Div'd reinvestment plan available.

(C) In millions, adj. for stock split.

Company's Financial Strength	A
Stock's Price Stability	30
Price Growth Persistence	65
Earnings Predictability	45

Factual material is obtained from sources believed to be reliable but cannot be guaranteed.

Tableau 18

PHILA. ELECTRIC NYSE-PE

RECENT PRICE	P/E RATIO		EARN'S YLD	DIV'D YLD	
14	5.8 (Trailing: 5.7 / Median: 8.0)		17.1%	15.1%	204

| High | 32.1 | 24.9 | 25.1 | 25.0 | 23.5 | 19.5 | 15.5 | 18.0 | 21.3 | 19.8 | 17.6 | 17.0 | 14.4 | 17.5 | 18.3 | | 80 |
| Low | 22.0 | 19.0 | 20.6 | 21.3 | 17.0 | 9.4 | 11.1 | 14.9 | 17.1 | 15.0 | 13.5 | 11.4 | 11.9 | 13.0 | 14.0 | | 60 |

.93 x Dividends p sh divided by Interest Rate

Target Price Range 1986 1987 1988 1989
Dec. 30, 1983 Value Line

TIMELINESS 3 Average (Relative Price Perform-ance Next 12 Mos.)
SAFETY 2 Above Average (Scale: 1 Highest to 5 Lowest)
BETA .60 (1.00 = Market)

1986-88 PROJECTIONS
	Price	Gain	Ann'l Total Return
High	30	(+115%)	28%
Low	25	(+ 80%)	24%

Insider Decisions 1983
A S O N D J F M A M J J A S O
to Buy 0 0 0 0 0 1 0 0 0 0 0 1 0 0 0
to Sell 0 0 0 0 0 0 1 0 0 0 0 1 0 0 0

Institutional Decisions
	3Q'82	4Q'82	1Q'83	2Q'83	3Q'83
to Buy	28	40	25	24	21
to Sell	25	22	30	58	30
Hldg's(000)	8994	10776	10985	11077	11511

Relative Price Strength

1968	1969	1970	1971	1972	1973	1974	1975	1976	1977	1978	1979	1980	1981	1982	1983	1984	1985	© Value Line, Inc.	86-88E
13.96	13.79	14.36	15.15	15.32	14.64	18.97	17.68	17.66	18.69	19.04	19.05	22.92	22.43	21.03	18.25	17.85		Revenues per sh	22.50
3.51	3.37	3.24	3.34	3.29	3.04	3.24	3.10	3.22	3.22	3.37	3.29	3.29	3.39	3.48	3.35	3.50		"Cash Flow" per sh	4.40
1.94	1.97	1.84	2.10	2.08	1.99	1.81	1.86	1.91	1.87	1.87	1.86	2.00	2.25	2.39	2.35	2.50		Earnings per sh (A)	2.80
1.64	1.64	1.64	1.64	1.64	1.64	1.64	1.64	1.64	1.76	1.80	1.80	1.90	2.06	2.12	2.12	2.12		Div'd Decl'd per sh (B)	2.40
8.09	8.26	10.01	8.76	8.94	8.31	8.94	5.63	5.48	5.75	5.30	5.09	6.26	7.25	6.92	7.00	6.35		Cap'l Spending per sh	4.30
18.11	18.84	18.95	19.54	20.00	19.61	20.21	19.05	19.13	19.26	19.28	19.06	18.72	18.10	17.93	18.00	18.10		Book Value per sh (C)	21.00
29.03	31.94	35.13	40.14	44.73	52.38	53.33	64.20	69.31	74.62	76.51	82.88	92.63	108.51	125.77	142.35	157.00		Common Shs Outst'g	177.00
15.3	13.8	11.8	10.8	11.0	10.5	7.3	7.4	8.7	10.4	9.5	8.4	6.8	5.8	6.3	7.2		Bold figures are Value Line estimates	Avg Ann'l P/E Ratio	9.5
6.5%	7.3%	8.6%	9.3%	9.1%	9.5%	13.7%	13.5%	11.5%	9.6%	10.5%	11.9%	14.7%	17.2%	15.9%	13.8%			Avg Ann'l Earn's Yield	10.4%
5.5%	6.1%	7.7%	7.2%	7.2%	7.9%	12.5%	12.0%	9.9%	9.1%	10.1%	11.5%	13.2%	14.6%	13.8%	12.5%			Avg Ann'l Div'd Yield	8.9%

CAPITAL STRUCTURE as of 9/30/83

Total Debt $3511.7 mill. Due in 5 Yrs $762.0 mill.
LT Debt $3107.4 mill. LT Interest $324.4 mill.
(LT interest earned: 2.0x)

Leases, Uncapitalized Annual rentals $41.9 mill.
Pension Liability $46.5 mill. in '82 vs. $33.1 mill. in '81

Pfd Stock $733.4 mill. Pfd Div'd $67.8 mill.
7,397,620 shares 3.8% to 17.125%, all cum. and $100 par. Callable at prices ranging from $102 to $117.125 a share. Incl. 3,922,900 shs. with mandatory redemption req'mts.
Common Stock 135,053,000 shs.

	1011.7	1134.8	1221.1	1394.8	1456.8	1575.5	2123.4	2433.4	2644.8	2600	2800	Revenues ($mill)	4000
	123.1	145.9	104.0	170.4	104.0	104.6	227.1	277.0	326.3	380	460	Net Profit ($mill)	500
	24.4%	30.8%	31.7%	29.3%	28.2%	18.9%	16.4%	19.3%	28.2%	25.0%	28.0%	Income Tax Rate	26.0%
	12.8%	12.7%	13.5%	12.4%	12.7%	12.3%	10.7%	11.4%	12.7%	14.6%	16.1%	Net Profit Margin	14.8%
	50.5%	51.0%	51.3%	51.3%	51.4%	50.9%	49.9%	51.3%	50.5%	48.5%	48.0%	Long-Term Debt Ratio	48.5%
	34.1%	35.1%	34.9%	35.5%	34.9%	35.9%	36.5%	36.7%	37.9%	38.5%	39.0%	Common Equity Ratio	41.0%
	3162.0	3485.6	3797.2	4049.7	4231.9	4401.2	4752.4	5348.7	5947.7	6675	7300	Total Capital ($mill)	9000
	3406.1	3669.8	3886.9	4165.9	4449.2	4741.4	5180.0	5714.1	6455.6	7300	8125	Net Plant ($mill)	10200
	6.8%	6.1%	6.3%	6.3%	6.5%	6.6%	7.0%	7.3%	8.3%	8.0%	9.0%	% Earned Total Cap'l	9.0%
	8.3%	8.4%	8.9%	8.8%	9.0%	9.0%	9.5%	10.7%	11.5%	11.5%	12.0%	% Earned Net Worth	12.5%
	8.8%	8.8%	9.5%	9.2%	9.6%	9.5%	10.1%	11.4%	12.3%	12.0%	13.0%	% Earned Comm Equity	13.0%
	.8%	1.0%	1.3%	.6%	.4%	.3%	1.0%	1.8%	1.7%	1.0%	2.0%	% Retained to Comm Eq	2.0%
	94%	91%	89%	95%	97%	98%	93%	88%	89%	92%	88%	% All Div'ds to Net Prof	88%

ELECTRIC OPERATING STATISTICS

	1980	1981	1982
% Change Sales (KWH)	--	+2.3	+4.6
Avg. Resid'l Use (KWH)	7038	6699	6544
Avg. Rev. per KWH (¢)	6.40	7.08	7.37
Capacity at Peak (Mw)	7698	7574	8006
Peak Load, Summer (Mw)	6095	5731	5691
Annual Load Factor (%)	55.6	57.8	56.8
% Change Customers (yr.-end)	+1.3	+.8	+.6

| Fixed Charge Cov. (%) | 104 | 111 | 131 |

ANNUAL RATES
of change (per sh)	Past 10 Yrs	Past 5 Yrs	Est '80-'82 to '86-'88
Revenues	4.0%	4.0%	.5%
"Cash Flow"	0.5%	1.5%	4.5%
Earnings	1.0%	3.5%	4.0%
Dividends	1.5%	2.5%	4.0%
Book Value	0.5%	1.0%	2.5%

QUARTERLY REVENUES ($ mill.)
Cal-endar	Mar. 31	June 30	Sept. 30	Dec. 31	Full Year
1980	564.4	455.3	567.8	535.9	2123.4
1981	647.9	543.6	620.7	621.2	2433.4
1982	757.1	592.6	661.6	633.5	2644.8
1983	723.2	572.2	868.3	436.3	2600
1984	776	625	710	680	2800

EARNINGS PER SHARE (A)
Cal-endar	Mar. 31	June 30	Sept. 30	Dec. 31	Full Year
1980	.51	.36	.72	.41	2.00
1981	.61	.46	.66	.52	2.25
1982	.71	.42	.73	.53	2.39
1983	.70	.44	.78	.43	2.35
1984	.73	.46	.75	.56	2.50

QUARTERLY DIVIDENDS PAID (B)
Cal-endar	Mar. 31	June 30	Sept. 30	Dec. 31	Full Year
1979	.45	.45	.45	.45	1.80
1980	.45	.45	.45	.45	1.80
1981	.45	.45	.50	.50	1.90
1982	.50	.50	.53	.53	2.06
1983	.53	.53	.53	.53	

(A) Next egs. rep't due mid-Feb. Est'd current cost egs./sh.: '82, 40¢. (B) Next div'd meet'g about Jan. 23. Goes ex about Feb. 27. Div'd paym't dates: Mar. 31, June 30, Sept. 30, Dec. 19. ■ Div'd reinvest plan av'ble (qual'd $750 tax defer.) Est'd div'ds tax free in '84: 50% (C) Incl. intangibles. In '82: 57¢/sh. (D) Rate base determin.: Fair value. Rate allowed on com. eq. in '82: 17.75%. Earn. on avg. com. eq. in '82: 13.4%. Reg. Climate: Below Average.

BUSINESS: Philadelphia Electric Co. supplies electricity (82% of revs.), gas (15%) and steam (3%) in Philadelphia and environs. Service area is highly industrialized. Electric revenues: residential, 32%; commercial, 14%; industrial, 42%; other, 12%. Gas revenues: residential, 42%; commercial and industrial, 50%; other, 8%. Prime fuels: oil, 7%; coal, 20%; nuclear, 34%; hydro, 3%; purchased power, 36%. Fuel costs: 52% of revenues; labor, 15%. '82 deprec. rate. 3.0%. Est'd plant age: 9 years. Has 40,708 employees. 298,061 common stockholders. Chrmn. & C.E.O.: J.L. Everett. Pres.: J.H. Austin, Jr. Inc.: Pa. Address: 2301 Market St., Philadelphia, Pa. 19101.

The state commission awarded the company an increase in electric tariffs of $144 million in late November . . . The rate hike was 63% of the $228.2 million requested. The approved return on common equity was 16.15% down from 17.75% awarded in the 1982 rate case. The order rejected a portion (9¢ a share) of deferred operating and maintenance expenses and depreciation associated with certain pollution control facilities. We have reduced our 1983 share earnings by a dime to reflect this denial. . . . but rejected PE's construction and financing plans for the Limerick #2 nuclear plant. The company sought approval of a $1.1 billion bank revolving/term loan agreement and permission to resume construction of unit #2 as soon as unit #1 is completed, which is expected shortly. The regulatory agency asked the company to file another financing plan for unit #1 only and to delay restarting building of unit #2, suspended since May 1982, until unit #1 is in commercial operation. The expected operation date for unit #1 is about April 1985. The utility estimates that the cost of unit #2 would increase by about $500 million over a recent estimate of $2.4 billion, of which $634 million had been spent through Sept. 30th. What can investors expect in the period ahead? Up to this point, the commission has not ordered construction of unit #2 to be canceled. The company wants both units to be completed so that it can retire some old oil-fired plants. Despite difficulty in the years ahead in financing it, we don't expect unit #2 to be abandoned. That's because the risk is high that a major portion of the company's investment would be ruled imprudent and, thereby, unrecoverable from ratepayers. These shares should be bought or held only by investors willing to take high risks. The estimated 1984 yield of 15.1%, and the possibility that 50% of the 1984 dividend will be ruled a return of capital is the near-term compensation for the assumed risk. If unit #2 is completed in the late '80s or early '90s, as we think it will, the reward might be significant. Our 1986-88 projections allow for the resumption of unit #2 construction by 1985 or 1986.

W.M./M.S.

Restated Revenues (and Pretax Operating Margins) by Business Line
	1980	1981	1982	1983
Electric	1767.0 (13.7%)	2002.1 (14.9%)	2181.0 (16.8%)	2215 (24.0%)
Gas	290.7 (7.7%)	358.4 (6.5%)	390.4 (6.3%)	415 (7.0%)
Steam	65.7 (2.4%)	74.9 (2.1%)	73.4 (2.8%)	70.0 (2.5%)
Company Total	2123.4 (12.5%)	2433.4 (13.3%)	2644.8 (14.7%)	2600 (22.0%)

Company's Financial Strength B++
Stock's Price Stability 100
Price Growth Persistence 15
Earnings Predictability 95

Factual material is obtained from sources believed to be reliable but cannot be guaranteed.

facilement le prix de leurs actions dans un sens ou dans l'autre.

Aux pages 113 et suivantes, vous trouverez des graphiques de l'évolution du prix de compagnies à capacités de réaction bien différentes. À la page 102 apparaît le graphique d'une compagnie à bêta ou volatilité de 1,70. Observez que son prix varie beaucoup plus facilement que celui des actions de Philadelphia Electric ; cette dernière offre une volatilité plutôt basse (0,60).

Pour mieux comprendre ce phénomène, comparons l'évolution du prix des actions de Pacific Sci. et d'une composante du Dow Jones, la compagnie Good Year. Les actions de Pacific Sci., compagnie mentionnée dans la liste ci-haut et dotée d'un bêta de 1,50, se vendraient en août 82 au prix de 8,00 $. Elles se vendaient en 1983 au prix de 25,00 $. Cette entreprise vit l'évolution des années 1980. Good Year, innovatrice il y a 100 ans, a toute ma vénération mais ses actions, à mon avis, intéresseraient plutôt une succession que l'investisseur en quête d'un avenir. Pendant le même temps le prix des actions de Good Year évoluait entre 25,00 $ et 30,00 $.

Comme nous venons de le voir, la volatilité devient pour notre méthode un élément essentiel. Pour bénéficier le plus possible de la montée du marché boursier, il faut donc choisir des actions à très haute capacité de réaction.

Parmi les nombreux secteurs énumérés dans le chapitre sur l'instrument du choix, je n'avais retenu que les sept secteurs suivants :

PRECISION INSTRUMENT INDUSTRY
HEALTH CARE/HOSPITAL SUPPLIES INDUSTRY
FAST FOOD SERVICE INDUSTRY
MEDICAL SERVICES INDUSTRY
ELECTRONICS INDUSTRY
COMPUTER/DATA PROCESSING INDUSTRY
SECURITIES BROKERAGE INDUSTRY.

Vu l'importance de la volatilité, vérifions si les secteurs retenus peuvent nous fournir un éventail suffisant pour nous permettre de choisir 20 compagnies cibles.

Dans le secteur « PRECISION INSTRUMENT INDUSTRY », seize compagnies sur vingt-six ont une volatilité égale ou supérieure à 1,30.

Dans le secteur « HEALTH CARE/HOSPITAL SUPPLIES INDUSTRY », seize compagnies sur vingt-cinq ont une volatilité égale ou supérieure à 1,30.

Dans le secteur « FAST FOOD SERVICE INDUSTRY », quatre compagnies sur quinze ont une volatilité égale ou supérieure à 1,30.

Dans le secteur « MEDICAL SERVICES INDUSTRY », neuf compagnies sur neuf ont une volatilité égale ou supérieure à 1,30.

Dans le secteur « ELECTRONICS INDUSTRY », vingt-deux compagnies sur quarante-trois ont une volatilité égale ou supérieure à 1,30.

Dans le secteur « COMPUTER/DATA PROCESSING INDUSTRY », vingt et une compagnies sur trente-quatre ont une volatilité égale ou supérieure à 1,30.

Dans le secteur « SECURITIES BROKERAGE INDUSTRY », cinq compagnies sur sept ont une volatilité égale ou supérieure à 1,30.

Maintenant, voyons quel a été le comportement du prix de ces actions pendant la récente poussée du marché. Lors de la montée du Dow Jones de 776 à 1 200, soit une hausse de 56%, quelle a été la performance des actions à volatilité d'au moins 1,30 ?

Presque toutes les actions de ces compagnies ont au moins doublé de prix, beaucoup ont triplé et certaines ont quadruplé. J'énumère ci-après, pour chaque secteur, les noms des compagnies dont le prix de l'action a *au moins* doublé durant les huit premiers mois de la remontée.

Precision Instrument Industry:

Cohérent Inc.,
E.G. & G. Inc.,
Esterline Corp.,
G.C.A. Corp.,
Pacific Science,
Perkin-Elmer Corp.,
Recognition Equipment,
Simmonds Precision Products,
Spectra-Physics Inc.,
Teleflex Inc.,
Tokheim Inc.,
Tracor Inc.,
Tyco Laboratories Inc.,
Veeco Instruments.

Health/Care Hospital Supplies Industry:

Cordis Corp.,
Damon Corp.,
Flow General Inc.,
National Patent & Development.

Fast Food Service Industry:

Collins Food International,
Jerrico Inc.,
Ponderosa Inc.

Medical Services Industry:

American Medical Int'l Inc.,
Beverly Entreprises,
Charter Medical,
Humana Inc.,
Lifemark Corp.,
Manor Care,
National Medical Care Inc.,
National Medical Entreprises Inc.

Electronics Industry:

> A.V.X. Corp.,
> Advanced Micro Devices Inc.,
> Arrow Electronics,
> Avnet Inc.,
> Aydin Corp.,
> Cubic Corp.,
> General Instrument,
> National Semiconductor Corp.,
> Regency Electronics Inc.,
> Teradyne Inc.,
> Unitrode Corp.

Computer/Data Processing Industry:

> Amdhal Corp.,
> Apple Computer,
> Applied,
> Commodore International,
> Computervision Corp.,
> Control Data Corp.,
> Cray Research Inc.,
> Data General Corp.,
> Datapoint Corp.,
> Dataproducts Corp.,
> Electronic Associates Inc.,
> Electronic Memories & Magnetics,
> Gerber,
> Parodine,
> Prime Computer Inc.,
> Telex Corp.,
> Wang Laboratories Inc.

Securities Brokerage Industry:

> Donaldson, Lufkin & Jenrette Inc.,
> Edwards (A.G.) & Sons Inc.,
> Hutton (E.F.) Group.,
> Merrill Lynch & Co.,
> Paine, Webber Inc.

Avant de poursuivre, observez immédiatement, au chapitre intitulé « Le choix du genre d'actions », les quelques pages du Value Line Investment Survey qui ont été reproduites en partie. Examinez le chiffre inscrit sous la rubrique « bêta » (volatilité). Je n'ai retenu que les compagnies à grande volatilité parce que le prix des actions de ces compagnies varie beaucoup plus vite que le Dow Jones. Nous ne porterons notre attention que sur ce genre d'actions.

Pour faire partie de notre choix, ces compagnies cibles devront répondre à plusieurs autres critères de sélection, mais pour le moment, retenons que nous éliminons toutes les compagnies qui ont une volatilité inférieure à 1,30.

En 1982, le Dow Jones a baissé de 1 024 à 776, soit une variation d'environ 25%. À ce moment, le prix des actions de Merrill Lynch diminuait de moitié ; il passait de 45 à 21. Lors de la remontée du Dow Jones de 776 à 1 200, remontée échelonnée sur huit mois seulement, Merrill Lynch progressait de 21 à 100. C'est fantastique ! (Actuellement, le prix des actions de Merrill Lynch n'est pas à 100 parce qu'il y a eu une division. On a distribué deux actions pour une et par la suite le prix de l'action a plongé.)

Cette compagnie ne fut pas la seule à connaître une montée spectaculaire. Vérifions quel a été le comportement des actions des compagnies que j'avais mises en évidence au chapitre précédent à cause de leur volatilité élevée.

	VOLATILITÉ	VARIATION DES PRIX
AMDHAL CORP.	1,55	17 — 49
AMER. MED. INT'L	1,35	15 — 35
APPLE COMPUTER	1,85	11 — 50
BEVERLY ENT.	1,40	14 — 40
CHARTER MEDICAL	1,25	18 — 40
COHERENT INC.	1,35	7,5 — 30
COLECO INDS.	1,25	7 — 35
FLIGHTSAFETY	1,25	16 — 35
FLOW GENERAL	1,55	6,75 — 18
GCA CORP.	1,65	11 — 45
GERBER SCIENTIFIC	1,65	6,5 — 18
HUMANA INC.	1,35	16 — 40
M/A-COM INC.	1,55	12 — 30
MCI COM'CATIONS	1,45	10 — 25
NAT'L MED. CARE	1,30	5,5 — 18
NAT'L MED. ENT.	1,35	11 — 31
NATIONAL PATENT	1,40	7 — 25
PACIFIC SCI.	1,50	8 — 35
PRIME COMPUTER	1,65	10,5 — 30
REGOGNITION EQ.	1,55	4 — 16
SCA SERVICES	1,30	9 — 21
SIMMONDS PREC.	1,35	13 — 42
SPECTRA-PHYSICS	1,35	13 — 34
TELEFLEX INC.	1,35	16 — 35
VEECO INSTR.	1,55	9,5 — 28
VOLT INFO. SCI.	1,30	9 — 32

(à noter que le taux de volatilité d'une action n'est pas immuable et varie selon l'évolution récente du prix)

Pendant la même période, quel a été le comportement des actions à faible volatilité?

	VOLATILITÉ	VARIATION DE PRIX
POTOMAC EL. PWR.	0,65	16 — 18
PHILA. ELECTRIC.	0,60	14 — 17

À l'école primaire, l'institutrice m'a enseigné que c'est à l'est du Canada, à la baie de Fundy, qu'on enregistre les plus grandes marées au monde. À cet endroit, l'eau se précipite à la vitesse du cheval au galop, dans un sens ou dans l'autre, sous l'action de la lune.

La connaissance des éléments qui engendrent le phénomène est fondamentale. Il en va de même dans tous les domaines, entre autres à la bourse. Un investisseur non averti a tendance à paniquer devant les fortes marées du marché. Au contraire, plutôt que de s'affoler à la vue du déchaînement des éléments, l'autre investisseur envisage la possibilité d'en harnacher les forces à son avantage. Il connaît le phénomène et ses causes. Il prévoit sa limite dans le temps ainsi que l'ampleur du déchaînement.

À l'aide du graphique des pages du Value Line Investment Survey qui ont été reproduites, observez le comportement du prix des actions. Constatez le peu de variation du prix des actions à basse volatilité en regard du prix des actions à capacité de réaction élevée.

14. Le choix du genre d'actions

Il est important d'acquérir le réflexe du connaisseur. Il faut trouver des actions de compagnies à progression rapide, lors de la reprise du marché? Quelles sont en fait ces actions? Comment les reconnaît-on? On les trouve en général dans des activités bien spécifiques. Dans le chapitre précédent, nous avons vu que certains secteurs sont plus propices que d'autres aux investissements. Beaucoup de secteurs d'activités regroupent des compagnies qui possèdent toutes les caractéristiques nécessaires pour constituer de très bons choix, sauf que d'habitude, ces entreprises sont concentrées dans certains secteurs.

Les critères de sélection nous orientent vers des concentrations caractérisées par une grande élasticité, c'est-à-dire

110

des compagnies dont le dynamisme s'exprime par des découvertes récentes, des progrès technologiques, des innovations particulières.

Il semble que dans la plupart d'entre elles, l'idée principale de la compagnie domine les immobilisations et les capitaux investis. Ces compagnies d'allure bouillonnante se nourrissent d'innovations soit en s'adressant à un marché particulier, soit en comblant un nouveau besoin. Leur force structurelle n'en est pas la caractéristique principale.

Pour les découvrir, il est important d'examiner leurs profits, mais nous le ferons d'une façon très spéciale. Il ne s'agit pas de considérer le profit de la compagnie seulement à un moment donné, il faut étudier ses gains depuis plusieurs années : la progression nous intéresse dans sa durée et dans son ampleur. Les profits ne nous renseignent que si nous les étudions sous cet angle. La projection anticipée du prix des actions d'une compagnie ne peut se faire à partir du profit d'un moment précis.

La relation entre le profit et le prix de l'action ne révèle presque rien en soi, parce que l'écart entre le prix de l'action et le profit de la compagnie est souvent trompeur. Un profit de 1 $ et un prix de 8 $ ne veulent rien dire : l'action peut être trop chère et, dans un autre cas, elle peut être très acceptable.

La variation et l'évolution du profit constituent des éléments beaucoup plus significatifs et révélateurs. Notre regard doit donc englober les profits de plusieurs années parce que la variation passée vaut n'importe quelle analyse.

Jetons ici un coup d'œil sur les variations de profits de quelques compagnies. (Tableau 19).

L'évolution des profits de ces compagnies est intéressante. La récession peut influencer leur profit, c'est normal, mais à la reprise elles rebondiront très vite.

Les profits de ces compagnies ne progressent peut-être pas toujours mais ils manifestent beaucoup d'élasticité. La

Tableau 19

Variations des profits de compagnies intéressantes

	1970	1971	1972	1973	1974	1975	1976	1977	1978	1979	1980	1981	1198
GCA CORP.	.26	.21	.08	.25	.31	.06	.09	.28	.44	.85	1.81	2.60	1.7
PACI. SCI.	.07	.07	.05	.08	.11	.12	.19	.60	.83	.90	1.22	1.42	1.6
RECOGNIT.	d.04	d.09	.07	.02	.08	.37	.60	.69	.80	.43	.82d	1.34	d2.3
SIMM. PRE.	.09	.26	.36	.48	.60	.77	.84	1.03	1.22	1.34	.10	1.97	2.2
TELEFLEX	.03	.24	.35	.40	.20	.10	.29	.42	.60	.86	1.05	1.52	2.3
VEECO INC.	.12	.11	.12	.19	.23	.12	.26	.54	.80	1.03	1.12	1.06	.8
FLIGHTSA.	.05	.07	.09	.12	.16	.23	.30	.40	.48	.64	.95	1.31	1.4
VOLT. INFO.	d.08	d.33	d.02	d.10	.04	d.01	.01	.20	1.00	1.47	1.49	1.87	1.9
AMER. MED.	.21	.25	.29	.28	.21	.22	.35	.50	.67	.86	1.06	1.20	1.6

moindre amélioration dans les affaires de la compagnie se répercute avec beaucoup d'ampleur sur eux.

Certaines de ces compagnies sont fragiles, nous le concédons, mais elles n'ont par contre aucune lourdeur. Elles font penser aux petits animaux qui, lors des tempêtes, descendent de la cime des arbres pour se réfugier à une hauteur moins dangereuse. Très affectés par les secousses, ils supportent mal le temps violent. À l'opposé, le gros animal, toujours au sol, cesse alors de paître, tout simplement ; par contre, en d'autres temps, il ne peut pas bondir, bien que le soleil invite à cela.

L'immobilisme n'a aucun intérêt pour nous. Nous voulons la fluctuation, la nervosité. Nous recherchons les compagnies dont les muscles n'ont pas besoin d'être très forts pour se révéler de prodigieux ressorts, capables de les faire bouger rapidement le moment venu.

Les leçons du passé nous enseignent que la tempête viendra et finira. Cette mémoire des situations dicte notre attitude. En pleine tempête, identifiez les compagnies pourvues de ressort ; votre réussite dépendra de l'agilité, du nerf et de la poigne déployés.

Les compagnies de ce genre s'accrochent solidement à l'économie ; elles en suivent toutes les péripéties, et les secousses qu'elles reçoivent proviennent de l'extérieur. Leur structure est saine. Si, par ricochet, elles décrochent un moment, la revitalisation de l'économie les ramènera à l'avant-scène, toutes voiles dehors, prêtes à bondir. La plupart des actions reflètent le choc économique pendant les secousses ; la baisse les atteint par étapes et en profondeur. La situation de l'économie amplifie le recul de ce genre d'actions.

Par contre, d'autres actions ne reculent presque pas lors des secousses, elles cessent de progresser. Le fait qu'elles ne régressent pas ne signifie pas nécessairement qu'elles souffrent d'immobilisme. Vérifiez bien la volatilité. Il se peut qu'au moment des secousses, elles ne plongent pas comme l'ensemble du marché : leur structure solide les empêche de baisser.

Les pages suivantes présentent des tableaux (incomplets) du Value Line Investment Survey (Tableau 20). Les actions de ces compagnies offrent un certain intérêt et s'insèrent bien à ce moment-ci pour expliquer mon propos.

À l'aide de ces reproductions, observez l'évolution des actions de Teleflex, Humana, Beverly, Charter Medical et autres ; vous y reconnaîtrez ces phénomènes. Ainsi, une baisse radicale influence beaucoup les prix de Prime Computer et de Merrill Lynch, mais ils rebondiront très fort à partir d'un niveau inférieur.

Le choix d'actions change d'un cycle à l'autre. Après quelques années, certaines compagnies ne répondent plus aux critères d'évaluation, et je ne peux dans ce livre qu'indiquer les principes et les facteurs à considérer pour la sélection. Seuls les critères restent les mêmes.

Votre sélection devra se faire à partir de l'appréciation de facteurs déterminants : volatilité élevée, évolution des profits, secteur d'activité, nervosité, prix. Votre choix devra toutefois respecter certaines limites indiquées par la méthode.

En temps normal, certains secteurs favorisent davantage l'investissement, mais vous pouvez aussi trouver des situations propices ailleurs. J'ai énuméré les secteurs les plus favorables selon moi, mais quelle que soit votre découverte, respectez les critères et les exigences d'un rendement acceptable.

Dans l'avenir, certains secteurs d'activité s'ajouteront et d'autres disparaîtront ; l'étude du marché vous éclairera sur ce point.

Tableau 20

AMDAHL CORP. ASE-AMH

| RECENT PRICE | 36 | P/E RATIO | 53.7 | (Trailing: NMF) (Median: NMF) | EARN'S YLD | 1.9% | DIV'D YIELD | 1.1% | 1080 |

Amdahl Corporation was founded in 1970 to develop and market large-scale computer systems. Previously employed by IBM, Dr. Gene M. Amdahl had design responsibilities for IBM Models 704, 709, and 7030, and managed architectural planning of IBM System 360. Dr. Amdahl resigned in 1980. Initial capital came chiefly from Heizer Corp. (a Chicago business development firm) and Fujitsu Ltd. (a Japanese supplier to Amdahl). First revenues were recorded in late 1975 for the 470 V/6 computer to compete with IBM System 370/Model 168. Amdahl's product range has been extended downward with the 470 V/5 (to compete with 370/158) and upward with the 580 series (to compete with IBM Model 3081).

Since the initial public offering Aug.

Institutional Decisions

	3Q'81	4Q'81	1Q'82	2Q'82	3Q'82
to Buy	15	17	17	18	22
to Sell	14	16	18	15	14
Hldg's(000)	3916	4043	3430	3587	4302

Insider Decisions

	O	N	D	J	F	M	A	M	J	J	A	S	O	N	D
to Buy	0	0	0	1	0	1	0	0	0	0	0	0	0	0	0
to Sell	1	0	1	0	1	0	0	0	0	0	0	0	0	0	1

	High	Low
1982	14.9	11.4
	27.6	11.1
	71.5	21.1
	52.8	16.1
	38.5	15.1
	46.0	23.7
	33.6	17.3

Target Price Range
1984 | 1985 | 1986 | 1987

Value Line

Feb. 11, 1983

TIMELINESS 3 Average
(Relative Price Performance Next 12 Mos.)

SAFETY 3 Average
(Scale: 1 Highest to 5 Lowest)

BETA 1.55 (1.00 = Market)

1985-87 PROJECTIONS

	Price	Gain	Ann'l Total Return
High	110	(+205%)	33%
Low	70	(+ 95%)	19%

© Arnold Bernhard & Co., Inc.

2-for-1 split

120 x "Cash Flow" p sh

Relative Price Strength

Options Trade On CBO

Percent shares traded: 15.0 / 10.0 / 5.0

	1972	1973	1974	1975	1976	1977	1978	1979	1980	1981	1982	1983	1985-87E	
Revenues per sh	--	--	--	5.13	7.67	14.78	24.15	22.14	23.56	25.55	24.30	34.30	53.65	
"Cash Flow" per sh	--	--	--	d2.64	1.16	2.57	4.69	3.18	3.55	3.60	2.55	4.55	8.30	
Earnings per sh	d3.46	d5.36	d4.84	d3.15	.85	1.63	2.81	1.02	.80	1.31	.24	2.00	4.40	

AMER. MED. INT'L. NYSE -AMI

RECENT PRICE	P/E RATIO	EARN'S YLD	DIV'D YIELD	
31	15.1 (Trailing: 18.8 Median: 8.5)	6.6%	1.5%	365

High	Low
.3.7	.6
9.3	2.3
10.4	6.5
10.9	2.6
9.2	5.7
12.1	1.3
1.7	.8
1.7	1.4
3.4	2.6
4.7	4.1
9.5	6.4
11.2	9.3
21.5	13.7
24.6	16.3
29.9	13.7
31.0	24.0

Target Price Range 1984 1985 1986 1987

80 · 60 · 50 · 40 · 30

April 8, 1983 Value Line

TIMELINESS 2 (Relative Price Performance Next 12 Mos.) — Above Average

SAFETY 3 — Average

(Scale: 1 Highest to 5 Lowest)

BETA 1.35 (1.00 = Market)

1985-87 PROJECTIONS

	Price	Gain	Ann'l Total Return
High	70	(+125%)	23%
Low	45	(+45%)	11%

© Arnold Bernhard & Co. Inc.

Insider Decisions 1982

	N	D	J	F	M	A	M	J	J	A	S	O	N	D	J
to Buy	5	0	2	4	5	5	1	1	2	3	6	2	4		
to Sell	2	1	0	1	3	3	4	6	1	0	6	6	6	3	

Institutional Decisions

	4Q'81	1Q'82	2Q'82	3Q'82	4Q'82
to Buy	44	35	45	51	61
to Sell	28	38	26	34	34
Hldg's(000)	23027	22155	21541	22869	22528

(Continued from Capital Structure).
('92), callable 104, ea. conv. into 87.78 com. shs. at $11.40 a sh.; $2.1 mill. 7% sub. bonds, (1990), each conv. into 111.48 com. shs. at $8.97 a sh. Excl. debt discount of $401.0 mill. Incl. $10.0 mill. capitalized leases. (LT interest earned: 4.3x; total interest coverage: 4.3x)

2-for-1 split · 3-for-2 split · 3-for-2 split · 5-for-4 split · 3-for-4 split · 4-for-3 · 3-for-2 split

10% div'g · 12.0 X "Cash Flow" p sh · Relative Price Strength · Options Trade On PAC

	1966	1967	1968	1969	1970	1971	1972	1973	1974	1975	1976	1977	1978	1979	1980	1981	1982	1983	1985-87E
Percent shares traded 15.0 / 10.0 / 5.0																			
Revenues per sh (A)	.71	1.27	1.92	2.66	3.22	3.48	4.79	5.62	6.47	8.46	10.10	11.18	13.31	15.79	17.98	21.40	26.24	29.35	39.60
"Cash Flow" per sh	.05	.11	.16	.25	.34	.37	.47	.55	.50	.69	.91	1.06	1.25	1.52	1.84	2.04	2.90	3.60	4.35
Earnings per sh (B)	.03	.07	.10	.16	.21	.25	.29	.28	.21	.22	.35	.50	.67	.86	1.06	1.20	1.69	2.05	2.80

APPLE COMPUTER OTC-AAPL

RECENT PRICE	43	P/E RATIO	28.9 (Trailing: 35.2) (Median: NMF)	EARN'S YLD	3.5%	DIV'D YLD	Nil	1081

High / Low — 40 30 20 16 12 10 8 6 5

Target Price Range 1985 | 1986 | 1987 — 160 120 100 80 60 50

20.0 x "Cash Flow" p'sh

Relative Price Strength

34.5 34.9
14.3 10.8

Apple Computer, Inc. was incorporated in 1977 by two engineers formerly with Atari, Inc., and Hewlett-Packard Co., respectively. Its first products were the *Apple I* and *Apple II* personal computers. In 1978 and 1979, optional floppy disk storage capability was added, and a network of independent distributors was organized, which contributed to a rapid increase in sales. In 1980, the independent distribution arrangement was terminated, and Apple established its own sales and distribution network to serve retailers directly. Apple's first four years of operation

Insider Decisions

	O	N	D	J	F	M	A	M	J	J	A	S	O	N	D
to Buy	0	0	0	0	0	0	0	0	0	0	0	0			
to Sell	0	0	0	1	2	2	0	0	1	2	1	0	6	4	

Institutional Decisions

	3Q'81	4Q'81	1Q'82	2Q'82	3Q'82
to Buy	23	32	29	23	31
to Sell	20	15	25	28	21
Hldgs(000)	6332	9833	10133	9532	10834

Percent shares traded: 15.0 10.0 5.0

1982

Right panel

Feb. 11, 1983 Value Line

TIMELINESS **1** Highest (Relative Price Performance Next 12 Mos.)

SAFETY **4** Below Average (Scale: 1 Highest to 5 Lowest)

BETA 1.85 (1.00 = Market)

1985-87 PROJECTIONS

	Price	Gain	Ann'l Total Return
High	105	(+145%)	25%
Low	65	(+ 50%)	11%

© Arnold Bernhard & Co., Inc.

	1972	1973	1974	1975	1976	1977	1978	1979	1980	1981	1982	1983	85-87E
Sales per sh	--	--	--	--	--	.05	.21	1.11	2.42	6.05	10.21	14.65	(A) 28.75
"Cash Flow" per sh	--	--	--	--	--	--	.02	.12	.27	.87	1.36	2.00	(B) 3.65
Earnings per sh	--	--	--	--	--	--	.03	.12	.24	.70	1.06	1.60	3.00

117

BEVERLY ENT. NYSE-BEV

RECENT PRICE	P/E RATIO	EARN'S YLD	DIV'D YLD	
34	21.9 (Trailing: 25.6 / Median: NMF)	4.6%	0.8%	366

Target Price Range 1984 | 1985 | 1986 | 1987 — Value Line

Value Line scale: 80 / 60 / 50 / 40 / 30 / 20 / 14 / 10 / 8

April 8, 1983

TIMELINESS **1** Highest
(Relative Price Performance Next 12 Mos.)

SAFETY **4** Below Average
(Scale: 1 Highest to 5 Lowest)

BETA 1.40 (1.00 = Market)

1985-87 PROJECTIONS

	Price	Gain	Ann'l Total Return
High	70	(+105%)	21%
Low	45	(+ 30%)	9%

© Arnold Bernhard & Co., Inc.

		85-87E
Revenues per sh	(A)	65.20
"Cash Flow" per sh		5.00
Earnings per sh	(B)	3.00

2-for-1 split
3-for-2 split
10.0 x "Cash Flow" p sh
Relative Price Strength
Options Trade On PAC

Insider Decisions 1982

	N	D	J	F	M	A	M	J	J	A	S	O	N	D	J
to Buy	0	0	1	0	0	2	1	0	0	0	0	1	2	0	
to Sell	0	0	1	0	0	1	2	0	0	0	0	1	2	0	

Institutional Decisions

	4Q'81	1Q'82	2Q'82	3Q'82	4Q'82
to Buy		17	10	12	26
to Sell		6	10	13	11
Hldg's(000)	6290	6150	6302	7288	9307

Percent shares traded: 12.0 / 8.0 / 4.0

High / Low

| High | 23.7 – 28.7 | 29.9 | 11.6 | 7.5 | 3.3 | 1.4 | 1.7 | 2.5 | 2.7 | 6.1 | 8.7 | 12.9 | 18.3 | 28.1 | 34.9 |
| Low | 10.0 – 14.7 | 4.3 | 4.2 | 2.9 | 0.9 | 0.3 | 0.7 | 0.9 | 1.6 | 2.3 | 3.9 | 5.1 | 9.6 | 12.1 | 24.3 |

1966	1967	1968	1969	1970	1971	1972	1973	1974	1975	1976	1977	1978	1979	1980	1981	1982	1983
.74	1.08	4.29	11.14	11.68	13.19	11.12	11.55	12.23	12.26	9.35	10.42	17.89	17.84	22.44	27.92	37.40	47.25
.07	.11	.32	.79	.20	.81	.67	.12	d.03	.07	.07	.54	1.19	1.18	1.42	1.80	2.45	3.00
.07	.10	.13	.47	.17	.33	.19	.17	d.33	.05	d.20	.29	.51	.59	.77	1.08	1.33	1.60

CHARTER MEDICAL ASE-CMDA

RECENT PRICE	P/E RATIO	EARN'S YLD	DIV'D YLD	
35	19.4 (Trailing: 21.9, Median: 5.5)	5.1%	0.7%	367

Target Price Range 1984 1985 1986 1987 — 80 60 50 40 30

April 8, 1983 Value Line

TIMELINESS 2 (Relative Price Performance Next 12 Mos.) — Above Average

SAFETY 4 (Scale: 1 Highest to 5 Lowest) — Below Average

BETA 1.30 (1.00 = Market)

1985-87 PROJECTIONS

	Price	Gain	Ann'l Total Return
High	85	(+145%)	25%
Low	50	(+45%)	10%

© Arnold Bernhard & Co., Inc.

(Continued from Capital Structure)
LT interest earned: 3.2x; total interest coverage: 3.2x) (66% of Cap'l)

50% div'd
2-for-1 split
3-for-2 split
50% div'd
50% div'd
12.0 x "Cash Flow" p sh
Relative Price Strength

Insider Decisions 1982

	N	D	J	F	M	A	M	J	J	A	S	O	N	D	J
to Buy	1	0	0	0	0	0	0	0	0	0	0	0	0	0	0
to Sell	0	0	1	1	0	0	1	0	0	0	2	4	3	4	3

Institutional Decisions

	4Q'81	1Q'82	2Q'82	3Q'82	4Q'82
to Buy	4	7	13	10	
to Sell	2	8	13	8	
Hldg's(000)	1878	1851	2449	2653	4210

Percent shares traded: 6.0 4.0 2.0

In December 1981, 4,580,309 shares of newly created Class A common stock were issued. The additional shares were exchanged for 4,164,533 shares.

	1972	1973	1974	1975	1976	1977	1978	1979	1980	1981	1982	1983	85-87E
Revenues per sh (A)	1.23	1.78	2.29	2.83	3.54	5.69	8.71	11.47	15.08	20.27	22.40	26.65	45.00
"Cash Flow" per sh	.08	.14	.16	.18	.22	.34	.68	.84	1.11	1.59	1.99	2.75	4.90
Earnings per sh (B)	.02	.06	.07	.08	.09	.13	.38	.44	.61	.98	1.45	1.80	3.30

119

COHERENT INC. OTC-COHR

| RECENT PRICE | 23 | P/E RATIO | 23.0 | (Trailing: NMF) (Median: NMF) | EARN'S YLD | NMF | DIV'D YIELD | Nil | 4.4 % | 154 |

Target Price Range
1985 1986 1987

| | 1983 | 1984 | 1985 | 1986 | 1987 |
80
60
50
40
30
20
14
10

20.0 x "Cash Flow" p sh

3-for-2 split

Relative Price Strength

April 1, 1983

TIMELINESS **3** Average
(Relative Price Perform-
ance Next 12 Mos.)

SAFETY **5** Lowest
(Scale: 1 Highest to 5 Lowest)

BETA 1.35 (1.00 = Market)

1985-87 PROJECTIONS

	Price	Gain	Ann'l Total Return
High	50	(+115%)	21%
Low	25	(+ 10%)	2%

© Arnold Bernhard & Co., Inc.

Insider Decisions 1982

	N	D	J	F	M	A	M	J	J	A	S	O	N	D
to Buy	0	0	1	0	0	0	1	0	1	0	0	0	0	1
to Sell	0	0	1	0	0	0	0	0	0	0	0	0	0	3

Institutional Decisions

	4Q'81	1Q'82	2Q'82	3Q'82	4Q'82
to Buy	3	3	2	4	6
to Sell	4	0	4	0	9
Hdg'st(000)	494	632	570	623	908

Percent 30.0
shares 20.0
traded 10.0

	High	Low
	12.3	9.3
	12.0	5.3
	14.5	6.3
	14.2	6.2
	12.5	2.9
	9.2	2.5
	5.3	2.9
	5.2	3.3
	14.3	4.2
	18.2	10.0
	20.2	9.7
	20.7	9.3
	12.6	5.0
	24.3	15.7

1966	1967	1968	1969	1970	1971	1972	1973	1974	1975	1976	1977	1978	1979	1980	1981	1982	1983		85-87E
		--	1.86	3.12	3.07	4.68	5.48	5.56	5.07	7.09	9.53	11.95	17.80	19.91	17.84	20.44	20.70	Sales per sh	39.20
		--	.16	.36	.13	.38	.50	.14	.08	.16	.55	.91	1.33	.89	.93	.52	1.50	"Cash Flow" per sh	2.95
		--	.16	.33	.09	.29	.41	.05	d.05	.04	.35	.67	.99	.43	.43	d.18	1.00	Earnings per sh	2.00

(A) ... (B) ...

COLECO INDS. NYSE-CLO

RECENT PRICE	P/E RATIO	EARN'S YLD	DIV'D YIELD	
18	5.6 (Trailing: 9.6 Median: NMF)	17.0%	Nil	785

Insider Decisions

1982

	S	O	N	D	J	F	M	A	M	J	J	A	S	O	N
to Buy	0	0	0	1	0	0	1	0	0	1	0	1	0	0	0
to Sell	1	1	0	3	0	0	2	1	0	8	2	3	1	0	2

Institutional Decisions

	3Q'81	4Q'81	1Q'82	2Q'82	3Q'82
to Buy	2	1	12	7	7
to Sell	1	5	1	8	9
Hldg's(000)	1172	1012	2204	2700	3718

100% div'd
3-for-2 split
30% div'd
2-for-1 split
100% div'd

13.0 x "Cash Flow" p sh
Relative Price Strength

Percent 12.0
shares 8.0
traded 4.0

Target Price Range
1985 | 1986 | 1987

	Value Line
Jan. 28, 1983	
TIMELINESS (Relative Price Performance Next 12 Mos.)	1 Highest
SAFETY (Scale: 1 Highest to 5 Lowest)	5 Lowest
BETA 1.20 (1.00 = Market)	

1985-87 PROJECTIONS

	Price	Gain	Ann'l Total Return
High	65	(+260%)	38%
Low	35	(+ 95%)	18%

© Arnold Bernhard & Co., Inc.

	1966	1967	1968	1969	1970	1971	1972	1973	1974	1975	1976	1977	1978	1979	1980	1981	1982	1983	85-87E
Sales per sh	.83	1.18	1.60	2.35	2.91	3.65	4.85	5.48	6.57	5.21	8.57	9.96	7.77	9.91	10.82	11.64	32.55	44.15	(A) 60.00
"Cash Flow" per sh	.07	.12	.15	.21	.27	.36	.46	.08	.22	.21	.55	.42	d1.24	.70	1.08	.71	2.90	3.90	4.75
Earnings per sh	.06	.11	.13	.17	.20	.28	.34	d.08	.04	.01	.34	.12	d1.62	.39	.92	.51	2.65	3.60	(B) 4.25

FLIGHTSAFETY NYSE-FSI

RECENT PRICE	30	P/E RATIO	19.9	(Trailing: 20.5 Median: 12.0)	EARN'S YLD	5.0%	DIV'D YLD	0.7%	351

Target Price Range
1984 | 1985 | 1986 | 1987

| High | 2.3 | 2.1 | 2.2 | 2.1 | 2.0 | 1.7 | 1.3 | 2.1 | 2.9 | 5.1 | 9.2 | 12.9 | 26.7 | 33.5 | 33.1 | 34.0 |
| Low | 1.4 | 1.6 | 0.7 | 0.6 | 1.0 | 0.7 | 0.7 | 0.7 | 1.7 | 2.6 | 4.1 | 6.9 | 10.5 | 21.4 | 16.0 | 22.3 |

Value Line

April 8, 1983

TIMELINESS 2 (Relative Price Perform-ance Next 12 Mos.) (Above Average)
(Scale: 1 Highest to 5 Lowest)

SAFETY 3 (Average)
(Scale: 1 Highest to 5 Lowest)

BETA 1.30 (1.00 = Market)

1985-87 PROJECTIONS

	Price	Gain	Ann'l Total Return
High	90	(+200%)	32%
Low	60	(+100%)	20%

12.0 x "Cash Flow" p sh

3-for-2 split
3-for-2 split
3-for-1 split
2-for-1 split
2-for-1 split
2-for-1 split
3-for-2 split

Relative Price Strength

© Arnold Bernhard & Co., Inc.

Insider Decisions 1982

	N	D	J	F	M	A	M	J	J	A	S	O	N	D	J
to Buy	0	0	0	0	0	0	0	0	0	1	0	0	0	0	1
to Sell	0	0	0	0	0	0	0	0	0	1	1	1	2	1	0

Institutional Decisions

	4Q'81	1Q'82	2Q'82	3Q'82	4Q'82
to Buy	14	14	17	22	16
to Sell	10	12	16	10	8
Hldg's(000)	3591	4034	3841	4028	4205

Percent shares traded: 6.0 / 4.0 / 2.0

1966	1967	1968	1969	1970	1971	1972	1973	1974	1975	1976	1977	1978	1979	1980	1981	1982	1983	85-87E
Sales per sh	--	--	.58	.67	.52	.62	.71	.83	.99	1.15	1.65	2.10	3.02	3.69	4.66	5.20	6.45	9.65
"Cash Flow" per sh	--	--	.12	.13	.15	.19	.22	.27	.34	.42	.61	.73	.94	1.31	1.77	2.05	2.30	4.40
Earnings per sh	--	--	.05	.05	.07	.09	.12	.16	.23	.30	.40	.48	.64	.95	1.31	1.46	1.60	(A) 3.05

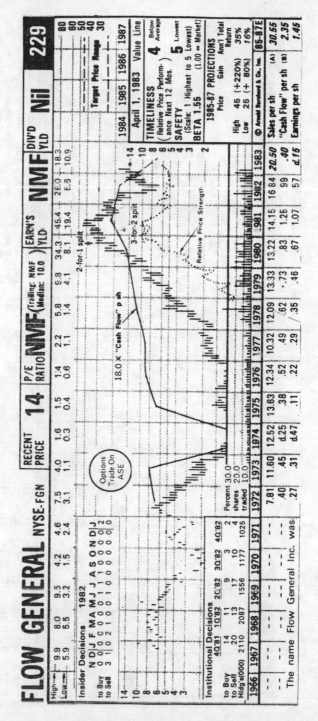

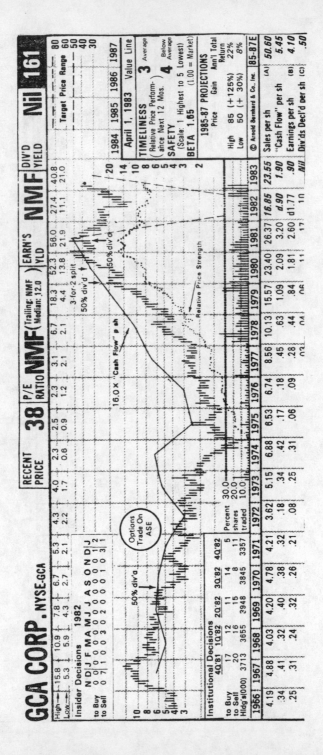

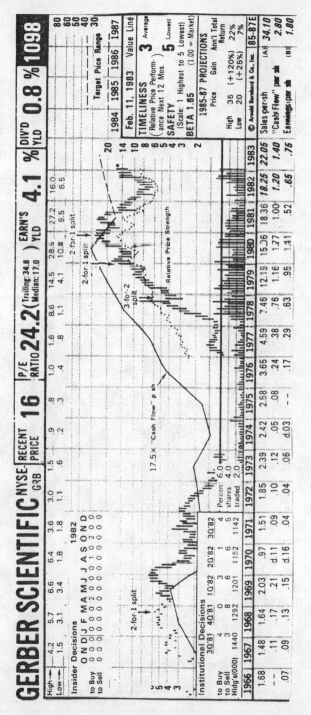

125

HUMANA INC. NYSE-HUM

	RECENT PRICE	**37**	P/E RATIO	**17.2** (Trailing: 20.6 Median: 10.0)	EARN'S YLD	**5.8%**	DIV'D YLD	**1.6%**	**370**

High— 3.9 3.3 2.8 2.4 1.4 1.2 2.0 1.4 5.1 7.4 18.2 23.2 34.6 37.0
Low— 0.7 1.5 1.4 1.3 0.5 0.4 1.2 1.0 1.7 4.6 7.1 14.5 15.1 26.7

Target Price Range
1984 | 1985 | 1986 | 1987

80
60
50
40
30
20
14
10
8
6
5
4
3
2

Insider Decisions 1982
	N	D	J	F	M	A	M	J	J	A	S	O	N	D	J
to Buy	3	0	3	1	10	0	4	3	1	0	2	1	1	2	6	4
to Sell	2	1	1	4	2	2	3	6	2	8	4	5	9	5	2

Options Trade On CBO

10.0 x "Cash Flow" p sh

2-for-1 split
4-for-3 split
3-for-2 split
3-for-2 split
3-for-2 split
4-for-3 split
3-for-2 split
2-for-1 split

Relative Price Strength

Percent shares traded
9.0
6.0
3.0

Institutional Decisions
	4Q'81	1Q'82	2Q'82	3Q'82	4Q'82
to Buy	50	49	46	62	77
to Sell	30	43	36	45	35
Hldg's(000)	26226	25404	26177	28747	33014

1966	1967	1968	1969	1970	1971	1972	1973	1974	1975	1976	1977	1978	1979	1980	1981	1982	1983	85-87E
--	--	.17	.47	1.27	1.48	1.42	1.70	2.23	3.23	4.44	5.33	10.49	12.96	15.41	18.09	20.08	21.85	**32.50**
--	--	--	.05	.10	.11	.16	.17	.21	.32	.45	.89	1.18	1.61	1.61	2.09	2.63	3.30	**4.45**
--	--	.01	.03	.06	.06	.09	.10	.12	.15	.19	.28	.50	.77	1.16	1.61	2.15		**2.70**

April 8, 1983 | Value Line

TIMELINESS 2 (Relative Price Performance Next 12 Mos.)
Above Average

3 Average

SAFETY (Scale: 1 Highest to 5 Lowest)

BETA 1.35 (1.00 = Market)

1985-87 PROJECTIONS
	Price	Gain	Ann'l Total Return
High	85	(+130%)	24%
Low	50	(+ 35%)	10%

© Arnold Bernhard & Co., Inc.

(A) Revenues per sh
(B) "Cash Flow" per sh
Earnings per sh

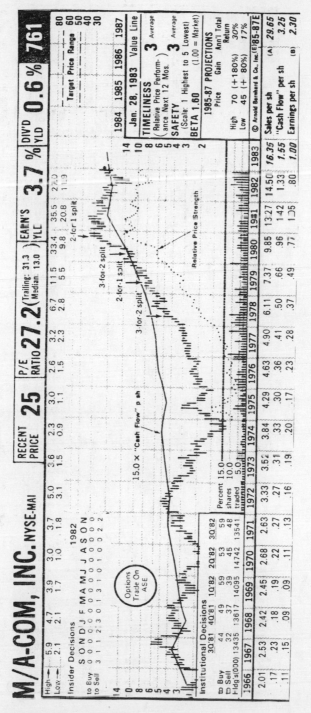

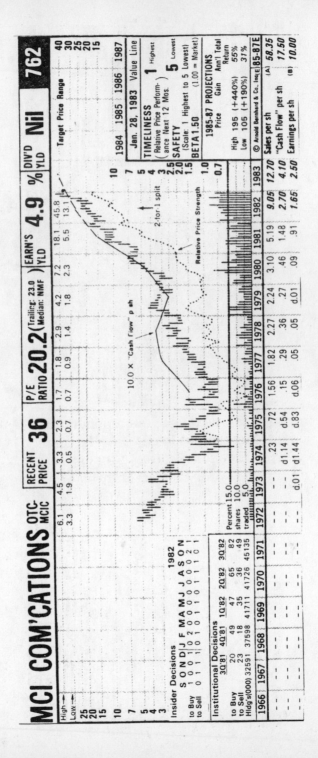

NAT'L MED. CARE NYSE-NMC

RECENT PRICE	**13**	
P/E RATIO	**11.2**	(Trailing: 12.8) (Median: 10.0)
DIV'D YLD	**3.5 %** (1.5 %)	
EARN'S YLD	**8.9 %**	

Value Line **373**

April 8, 1983

National Medical Care was incorporated in Massachusetts in 1968 as NMC, Inc., and was reincorporated in Delaware under its present name in 1969. The company began operating specialized health care centers in March 1970. At that time its operations consisted of two kidney treatment centers and one nursing home.

	High	Low
	7.1	4.2
	4.5	1.6
	2.0	0.8
	5.4	1.0
	5.4	3.7
	7.1	4.5
	10.8	5.4
	13.4	7.9
	23.6	9.5
	25.9	8.4
	1.3	5.4
	17.4	9.5

Insider Decisions 1982
	N	D	J	F	M	A	M	J	J	A	S	O	N	D	J
to Buy	0	0	0	1	0	0	0	2	1	0	0	2	0	0	1
to Sell	0	0	1	0	0	0	2	1	1	0	1	0	0	1	1

12.0 × "Cash Flow" p sh

Institutional Decisions
	4Q'81	1Q'82	2Q'82	3Q'82	4Q'82
to Buy	18	15	15	11	10
to Sell	24	19	18	14	10
Hldg's(000)	6929	6845	6238	6184	7001

Percent shares traded: 15.0 / 10.0 / 5.0

2-for-1 split
25% div'd
3-for-2 split
Relative Price Strength

TIMELINESS **2** (Relative Price Performance Next 12 Mos.) Above Average

SAFETY **3** (Scale: 1 Highest to 5 Lowest) Average

BETA 1.25 (1.00 = Market)

1985-87 PROJECTIONS
	Price	Gain	Ann'l Total Return
High	20	(+55%)	14%
Low	12	(−10%)	2%

© Arnold Bernhard & Co., Inc.

	1966	1967	1968	1969	1970	1971	1972	1973	1974	1975	1976	1977	1978	1979	1980	1981	1982	1983	85-87E
Revenues per sh	--	--	--	--	.23	.80	1.27	2.53	3.38	4.62	6.26	7.60	9.08	10.92	13.85	15.68	16.36	17.80	26.30
"Cash Flow" per sh	--	--	--	--	.02	.09	.16	.27	.34	.49	.75	.98	1.21	1.51	1.95	1.77	1.35	2.00	2.30
Earnings per sh	--	--	--	--	.01	.07	.11	.14	.18	.35	.51	.66	.83	1.08	1.40	1.09	1.03	1.15	1.25

(A)

NAT'L MED. ENT. NYSE-NME

RECENT PRICE	P/E RATIO	(Trailing: 19.3) (Median: 7.5)	EARN'S YLD	DIV'D YLD
27	17.1		5.9%	1.5%

374

TIMELINESS 1 Highest
(Relative Price Performance Next 12 Mos.)

SAFETY 4 Below Average
(Scale: 1 Highest to 5 Lowest)

BETA 1.40 (1.00 = Market)

April 8, 1983 Value Line

1984 1985 1986

Target Price Range

1985-87 PROJECTIONS

	Price	Gain	Ann'l Total Return
High	50	(+ 85%)	18%
Low	30	(+ 10%)	4%

© Arnold Bernhard & Co., Inc.

(Continued from Capital Structure)
shares at $34.65. Incl. $8.4 mill. capitalized leases.
(LT interest earned: 3.8x; total interest coverage: 3.7x)   (51% of Cap'l)

Insider Decisions 1982

	N	D	J	F	M	A	M	J	J	A	S	O	N	D	J
to Buy	1	0	0	9	1	0	2	1	0	1	0	3	1	0	0
to Sell	4	0	1	1	0	6	7	5	5	3	0	0			

Institutional Decisions

	4Q'81	1Q'82	2Q'82	3Q'82	4Q'82
to Buy	41	28	27	43	61
to Sell	30	34	32	27	24
Hldg's(000)	19533	16399	16429	18056	23211

Options Trade On ASE

5-for-4 split
3-for-2 split
2-for-1 split
3-for-2 split
10% div'd
3-for-2 split
5-for-4 split
10% div'd
10% div'd

10.0 x "Cash Flow" p sh

Relative Price Strength

Percent shares traded
12.0
8.0
4.0

	1966	1967	1968	1969	1970	1971	1972	1973	1974	1975	1976	1977	1978	1979	1980	1981	1982	1983	85-87E
Revenues per sh			--	.76	.99	1.22	1.50	2.64	3.69	4.69	5.26	7.11	8.23	7.80	13.37	15.93	19.89	26.60	35.55
"Cash Flow" per sh			--	.06	.10	.15	.23	.30	.37	.42	.68	.60	.97	1.36	1.92	2.35	3.65
Earnings per sh			--	.06	.09	.10	.11	.16	.17	.20	.25	.30	.40	.47	.73	.99	1.28	1.50	2.46

NATIONAL PATENT ASE-NPD

RECENT PRICE	P/E RATIO	EARN'S YLD	DIV'D YIELD	
14	56.0 (Trailing: 28.4 Median: NMF)	1.8%	Nil	235

TIMELINESS (Relative Price Performance Next 12 Mos.) **2** Above Average

SAFETY (Scale: 1 Highest to 5 Lowest) **4** Below Average

BETA 1.35 (1.00 = Market)

April 1, 1983 Value Line

1985-87 PROJECTIONS

	Price	Gain	Ann'l Total Return
High	10	(− 30%)	− 8%
Low	6	(− 55%)	−19%

© Arnold Bernhard & Co., Inc.

Target Price Range 1985 1986 1987

Above Average 20, 14, 10, 8, 6, 5

Relative Price Strength

Percent shares traded: 15.0 / 10.0 / 5.0

5-for-2 split

Insider Decisions 1982

	N	D	J	F	M	A	M	J	J	A	S	O	N	D	J
to Buy	0	1	0	1	0	2	0	0	1	0	0	0	0	0	0
to Sell	0	0	0	0	0	2	0	0	1	0	0	0	0	0	1

Institutional Decisions

	4Q'81	1Q'82	2Q'82	3Q'82	4Q'82
to Buy	0	3	3	1	0
to Sell	2	3	3	1	4
Hldg's(000)	235	251	626	343	249

1966	1967	1968	1969	1970	1971	1972	1973	1974	1975	1976	1977	1978	1979	1980	1981	1982	1983	
	.01	.02		.04	.29	.98	2.41	2.87	3.70	4.92	5.86	6.61	6.49	7.41	7.28	8.70	9.05	Sales per sh (A) 12.90
	− −	− −	d.06	d.08	d.02	.19	d.36	d.67	.18	.21	.56	.15	.38	.30	d.43	.34	.90	.70	"Cash Flow" per sh (B) .80
	− −	d.14	d.12	d.07	d.09	d.04	d.20	d.40	d.74	.15	.14	.43	.01	.55	d.47	d.73	d43	.04	.53	.35	Earnings per sh (E) 185-87E .40

High: 13.9, 28.8, 18.4, 13.4, 37.8, 60.0, 18.3, 12.0, 16.4, 13.0, 14.0, 12.8, 10.5, 1−.1, 13.5, 13.3, 17.8

Low: 5.1, 10.2, 10.6, 3.0, 9.8, 13.0, 3.9, 4.0, 4.9, 6.8, 8.8, 4.9, 5.3, 5.4, 5.3, 4.8, 12.0

5-for-2 split

1984 1985 1986 1987

131

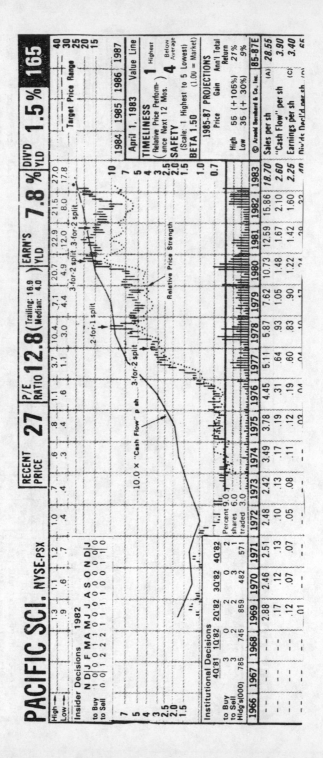

PRIME COMPUTER NYSE-PRM

| | RECENT PRICE | 41 | P/E RATIO | 25.3 | (Trailing: 27.7 / Median: NMF) | EARN'S YLD | 4.0% | DIV'D YIELD | Nil | 1106 |

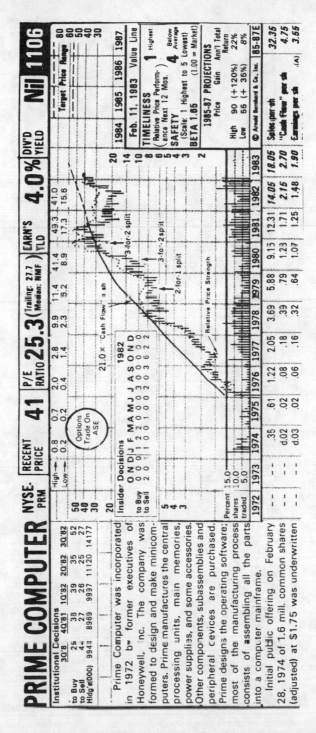

Institutional Decisions

	3Q'8	4Q'81	1Q'82	2Q'82	3Q'82
to Buy	25	38	39	35	52
to Sell	4	27	26	25	27
Hldg's(000)	994#	8969	9997	11120	14177

Prime Computer was incorporated in 1972 by former executives of Honeywell, Inc. The company was formed to design and make minicomputers. Prime manufactures the central processing units, main memories, power supplies, and some accessories. Other components, subassemblies and peripheral devices are purchased. Prime designs the operating software; most of the manufacturing process consists of assembling all the parts into a computer mainframe.

Initial public offering on February 28, 1974 of 1.6 mill. common shares (adjusted) at $1.75 was underwritten

Insider Decisions

1982	O	N	D	J	F	M	A	M	J	J	A	S	O	N	D
to Buy	0	0	0	1	1	2	0	0	3	0	0	0	0		
to Sell	2	0	0	1	0	0	1	0	0	3	6	2	2		

Options Trade On ASE

21.0 x "Cash Flow" p sh

3-for-2 split
3-to-2 split
2-for-1 split

Relative Price Strength

Percent shares traded
15.0
10.0
5.0

	1972	1973	1974	1975	1976	1977	1978	1979	1980	1981	1982	1983	1984	1985	1986	1987
Sales per sh	--	--	.35	.61	1.22	2.05	3.69	5.88	9.15	12.31	14.05	18.05				
"Cash Flow" per sh	--	--	d.02	.08	.18	.39	.79	1.23	1.71	2.15	2.70				
Earnings per sh	--	--	d.03	.02	.06	.16	.32	.64	1.07	1.25	1.48	1.90				

Target Price Range
1984 | 1985 | 1986 | 1987

Value Line

Feb. 11, 1983

TIMELINESS 1 Highest
(Relative Price Performance Next 12 Mos.)

SAFETY 4 Below Average
(Scale: 1 Highest to 5 Lowest)

BETA 1.65 (1.00 = Market)

1985-87 PROJECTIONS

	Price	Gain	Ann'l Total Return
High	90	(+120%)	22%
Low	55	(+ 35%)	8%

© Arnold Bernhard & Co., Inc.

85-87E | 32.35 / 4.75 / 3.55 (A)

| High | 0.8 | 0.7 | 2.0 | 2.8 | 9.9 | 11.4 | 41.4 | 49.3 | 41.0 | 20 |
| Low | 0.2 | 0.2 | 0.4 | 1.4 | 2.3 | 5.2 | 8.9 | 17.3 | 15.6 | |

RECOGNITION EQ. NYSE-REC

RECENT PRICE **9.9**	P/E RATIO **7.1** (Trailing: NMF / Median: 21.0)	EARN'S YLD **14.1%**
		DIV'D YIELD **Nil**

168

	High	Low
	45.0	16.0
	69.0	14.5
	23.9	11.6
	14.8	4.9
	8.5	1.9
	5.4	1.5
	9.0	2.3
	10.9	5.8
	13.4	6.6
	9.4	5.0
	21.0	5.0
	17.5	5.8
	9.6	3.6
	12.9	8.8

Target Price Range 1985 1986 1987

1984 1985 1986 1987

April 1, 1983 — Value Line

TIMELINESS **2** Above Average (Relative Price Performance Next 12 Mos.)

SAFETY **5** Lowest (Scale: 1 Highest to 5 Lowest)

BETA 1.50 (1.00 = Market)

1985-87 PROJECTIONS

	Price	Gain	Ann'l Total Return
High	20	(+100%)	19%
Low	12	(+ 20%)	5%

© Arnold Bernhard & Co. Inc.

15.0x "Cash Flow" p sh

Relative Price Strength

4-for-1 split

Insider Decisions — 1982

	N	D	J	F	M	A	M	J	J	A	S	O	N	D	J	J
to Buy	0	0	0	1	0	1	0	0	3	0	0	0	0	1	4	
to Sell	0	0	1	0	1	0	0	0	3	0	0	0	0	0	0	

Institutional Decisions

	4Q'81	1Q'82	2Q'82	3Q'82	4Q'82
to Buy	2	7	9	4	0
to Sell	7	9	3	4	3
Hldg's(000)	1269	752	958	922	782

Percent shares traded: 15.0 / 10.0 / 5.0

	1966	1967	1968	1969	1970	1971	1972	1973	1974	1975	1976	1977	1978	1979	1980	1981	1982	1983	
Sales per sh	.16	.82	2.71	7.14	6.73	7.72	8.54	8.29	7.62	10.51	11.52	13.20	14.82	16.69	18.89	21.90	18.72	18.35	(A) 21.35
"Cash Flow" per sh	d.57	d.46	.03	.93	d.31	.75	.82	.92	.96	1.34	1.47	1.56	1.67	1.18	1.34	.74	d1.55	2.05	1.75
Earnings per sh	d.69	d.68	d.48	.23	d1.04	d.09	d.07	.02	.08	.37	.60	.69	.80	.43	.82	d1.34	d2.35	1.40	1.10
Div'ds Decl'd per sh	--	--	--	--	--	--	--	--	--	--	--	--	--	--	--	--	--	Nil	(B)

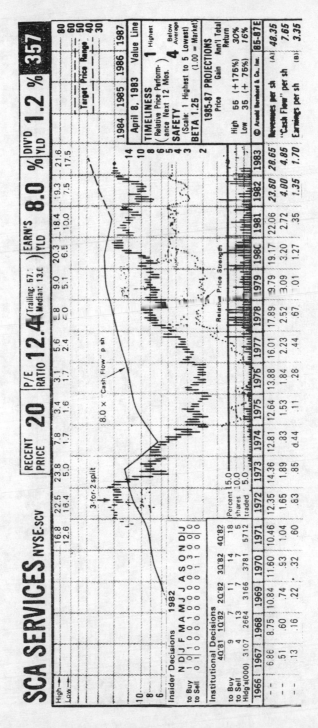

SCA SERVICES NYSE-SCV

| RECENT PRICE | 20 | P/E RATIO | 12.4 (Trailing: 57. Median: 13.0) | EARN'S YLD | 8.0 % | DIV'D YLD | 1.2 % | 357 |

Target Price Range
1984 1985 1986 1987

80
60
50
40
30

April 8, 1983

TIMELINESS **1** Highest
(Relative Price Performance Next 12 Mos.)

SAFETY **4** Below Average
(Scale: 1 Highest to 5 Lowest)

BETA 1.25 (1.00 = Market)

1985-87 PROJECTIONS
	Price	Gain	Ann'l Total Return
High	55	(+175%)	30%
Low	35	(+ 75%)	16%

© Arnold Bernhard & Co. Inc.

8.0 x "Cash Flow" p sh

3-for-2 split

Relative Price Strength

Insider Decisions 1982
	N	D	J	F	M	A	M	J	J	A	S	O	N	D	J
to Buy	1	0	1	0	0	0	0	0	1	0	0	0	3	0	0
to Sell	0	1	0	0	0	0	0	0	0	0	1	1	0	0	0

Institutional Decisions
	4Q'81	1Q'82	2Q'82	3Q'82	4Q'82
to Buy	9	7	11	14	18
to Sell	4	13	7	7	5
Hldg s(000)	3107	2664	3166	3781	5712

	High	Low
	16.8	12.6
	22.5	16.4
	23.8	5.0
	7.8	1.7
	3.4	1.6
	3.1	1.7
	5.6	2.4
	8	2.0
	9.0	5.1
	20.3	6.5
	18.4	10.0
	19.3	7.5
	21.6	17.5

| Percent shares traded | 15.0 | 10.0 | 5.0 |

1966	1967	1968	1969	1970	1971	1972	1973	1974	1975	1976	1977	1978	1979	1980	1981	1982	1983	© 85-87E
	6.86	8.75	10.84	11.60	10.46	12.35	14.36	12.81	12.64	13.88	16.01	17.89	9.79	9.17	22.06	23.60	28.65	Revenues per sh (A) 48.35
	.51	.60	.74	.93	1.04	1.65	1.89	.83	1.53	1.84	2.23	2.52	3.09	3.20	2.72	4.00	4.85	"Cash Flow" per sh 7.65
	.13	.16	.22	.32	.60	.83	.85	.44	d.44	.11	.28	.44	.67	.01	1.27	.35	1.35	1.70	Earnings per sh (B) 3.35

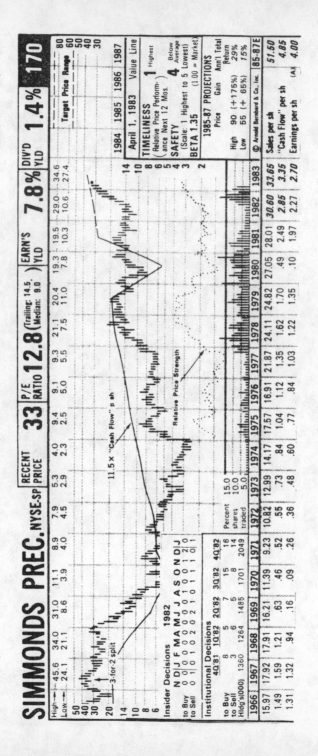

SIMMONDS PREC. NYSE-SP

RECENT PRICE	P/E RATIO	DIV'D YLD
33	**12.8** (Trailing: 14.5) (Median: 9.0)	EARN'S YLD **7.8%** DIV'D YLD **1.4%**

170

		High	Low												
High	45.6	34.0	31.0	11.1	8.9	7.9	5.3	4.0	9.4	9.1	9.3	21.1	20.4	19.3	19.5	29.0	34.6
Low	24.1	21.1	8.6	3.9	4.0	4.5	2.9	2.3	2.5	5.0	5.5	7.5	11.0	7.8	10.3	10.6	27.4

Target Price Range
1984 1985 1986 1987

3-for-2 split

11.5 × "Cash Flow" p sh

Relative Price Strength

Insider Decisions 1982

	N D	J F M A M J J A S O N D	J
to Buy	0 0	0 0 0 0 0 0 0 0 1 0 0	2 0
to Sell	0 1	0 0 2 0 2 0 1 0 1 1	0 1

Institutional Decisions

	4Q'81	1Q'82	2Q'82	3Q'82	4Q'82
to Buy	8	5	7	15	16
to Sell	3	6	5	8	14
Hldg's(000)	1360	1264	1485	1701	2049

Percent shares traded	15.0 10.0 5.0																

1966	1967	1968	1969	1970	1971	1972	1973	1974	1975	1976	1977	1978	1979	1980	1981	1982	1983
15.97	17.92	17.91	16.21	11.39	9.23	10.82	12.99	14.17	17.57	16.91	21.87	24.11	24.82	27.05	28.01	30.60	33.65
1.49	1.59	1.21	.63	.46	.52	.55	.73	.84	1.04	1.12	1.35	1.62	1.70	.49	2.49	2.85	3.35
1.31	1.32	.94	.16	.09	.26	.36	.48	.60	.77	.84	1.03	1.22	1.35	.10	1.97	2.27	2.70

April 1, 1983 Value Line

TIMELINESS 1 Highest
(Relative Price Perform-ance Next 12 Mos.)

SAFETY 4 Below Average
(Scale: 1 Highest to 5 Lowest)

BETA 1.35 (1.00 = Market)

1985-87 PROJECTIONS

	Price	Gain	Ann'l Total Return
High	90	(+175%)	29%
Low	55	(+ 65%)	15%

© Arnold Bernhard & Co., Inc.

		85-87E
Sales per sh	51.50	
"Cash Flow" per sh	4.85	
Earnings per sh	(A) 4.00	

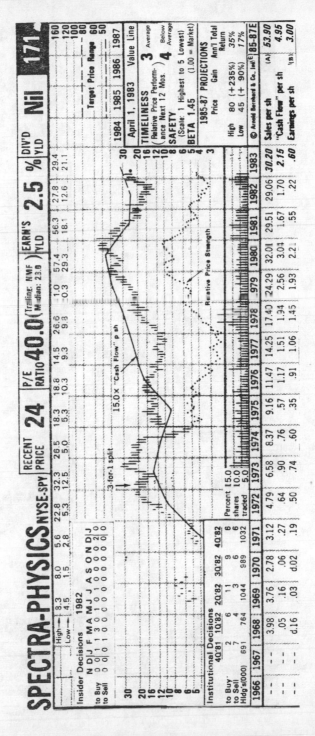

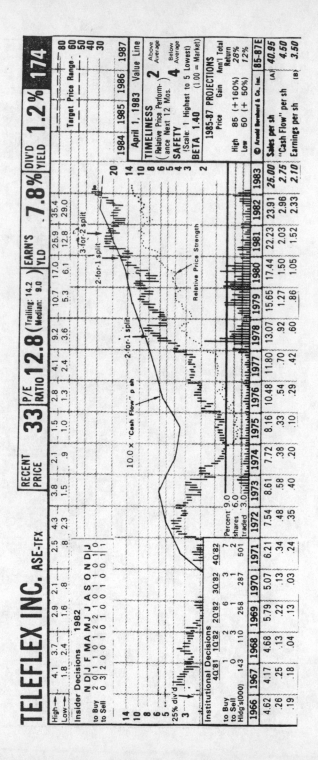

TELEFLEX INC. ASE-TFX

138

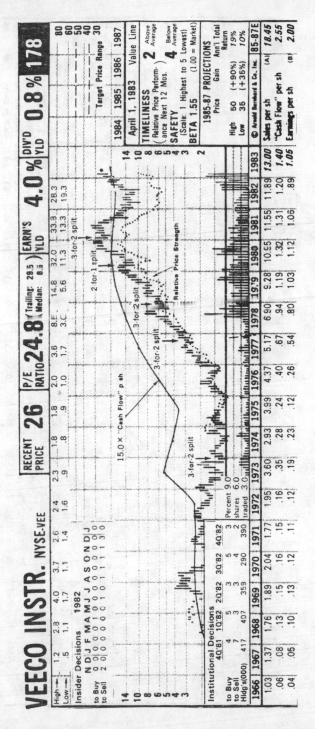

VEECO INSTR. NYSE-VEE

| RECENT PRICE | **26** | P/E RATIO | **24.8** (Trailing: 29.5 Median: 8.6) | EARN'S YLD | **4.0%** | DIV'D YLD | **0.8%** | **178** |

Target Price Range
1984 1985 1986 1987

April 1, 1983 Value Line

TIMELINESS **2** Above Average
(Relative Price Performance Next 12 Mos.)

SAFETY **4** Below Average
(Scale: 1 Highest to 5 Lowest)

BETA 1.55 (1.00 = Market)

1985-87 PROJECTIONS

	Price	Gain	Ann'l Total Return
High	50	(+90%)	19%
Low	35	(+35%)	10%

© Arnold Bernhard & Co., Inc.

Insider Decisions 1982

	N	D	J	F	M	A	M	J	J	A	S	O	N	D	J
to Buy	0	0	0	0	0	1	0	0	0	0	0	0	0	0	0
to Sell	2	0	0	0	0	0	1	0	0	1	1	1	3	0	0

Institutional Decisions

	4Q'81	1Q'82	2Q'82	3Q'82	4Q'82
to Buy	4	7	3	5	3
to Sell	7	5	3	3	3
Hdg's(000)	417	407	359	290	390

Percent shares traded 9.0 6.0 3.0

15.0 x "Cash Flow" p sh
3-for-2 split
2-for-1 split
3-for-2 split
3-for-2 split
3-for-2 split
3-for-2 split

Relative Price Strength

| High→ | 1.2 | 2.8 | 4.0 | 3.7 | 2.6 | 2.4 | 2.3 | 1.8 | 1.8 | 2.0 | 3.6 | 8.E | 14.8 | 32.0 | 33.8 | 28.3 |
| Low→ | .5 | 1.1 | 1.7 | 1.4 | 1.6 | | .9 | .9 | .8 | 1.0 | 1.7 | 3.C | 5.6 | 11.3 | 13.3 | 19.3 |

	1966	1967	1968	1969	1970	1971	1972	1973	1974	1975	1976	1977	1978	1979	1980	1981	1982	1983	85-87E
Sales per sh	1.03	1.37	1.76	1.89	2.04	1.77	1.95	3.60	2.93	3.99	4.37	5.17	6.90	9.28	10.55	11.55	11.89	13.00	(A) 18.45
"Cash Flow" per sh	.06	.08	.13	.15	.16	.15	.16	.35	.28	.24	.40	.67	.94	1.19	1.32	1.31	1.20	1.40	2.55
Earnings per sh	.04	.05	.10	.13	.13	.11	.12	.19	.23	.12	.26	.54	.80	1.03	1.12	1.06	.89	1.05	(B) 2.00

VOLT INFO. SCI. OTC-VOLT

RECENT PRICE	**28**	P/E RATIO	**11.9** (Trailing: 13.2 Median: 9.0)	EARN'S YLD	**8.4** %	DIV'D YLD	**Nil**	361

High— 3.8 17.3 11.3 3.8 1.7 1.8 0.9 0.8 1.1 1.1 1.1 0.5 7.5 12.3 17.8 22.0 20.0 28.0
Low— 0.5 3.3 4.0 .1 0.5 0.5 0.2 0.5 0.3 0.5 1.1 4.6 6.5 11.5 7.3 18.0

Target Price Range
1984 1985 1986

80
60
50
40
30
20

14
10
8
6

5-for-1
split

3-for-2 split
3-for-2 split

10.0 x "Cash Flow" p sh

Relative Price Strength

April 8, 1983   Value Line

TIMELINESS 1 Highest
(Relative Price Performance Next 12 Mos.)

SAFETY 4 Below Average
(Scale: 1 Highest to 5 Lowest)

BETA 1.30   (1.00 = Market)

1985-87 PROJECTIONS
	Price	Gain	Ann'l Total Return
High	45	(+60%)	14%
Low	25	(−10%)	−1%

© Arnold Bernhard & Co., Inc.

Insider Decisions
1982
	N	D	J	F	M	A	M	J	J	A	S	O	N	D	J
to Buy	0	0	0	0	1	0	1	0	1	0	0	0	0	0	
to Sell	0	0	0	0	0	0	1	0	1	0	0	0	0	0	

Institutional Decisions
	4Q'81	1Q'82	2Q'82	3Q'82	4Q'82
to Buy	1	1	1	1	1
to Sell	1	2	1	1	0
Hldg's(000)	111	17	176	263	287

Percent 9.0
shares 6.0
traded 3.0

1966	1967	1968	1969	1970	1971	1972	1973	1974	1975	1976	1977	1978	1979	1980	1981	1982	1983	85-87E
2.78	3.71	3.43	3.87	2.81	2.31	3.58	4.22	6.84	6.63	8.38	10.79	16.30	23.22	27.08	35.69	43.19	50.80	**64.10** (A) Sales per sh
.05	.05	.16	.11	.06	.29	.05	d.01	.19	.16	.23	.45	1.20	1.73	1.85	2.49	2.80	3.60	**5.65** "Cash Flow" per sh
.04	.04	.14	.08	d.08	d.33	d.02	d.10	.04	d.01	.01	.20	1.00	1.47	1.49	1.87	1.91	2.35	**3.35** (B) Earnings per sh

140

15. L'évaluation des choix

La réussite à la bourse dépend de deux conditions : il faut d'abord découvrir si une grande force anime une action puis, exploit encore plus difficile, il faut arriver à détecter dans quel sens cette force s'exercera. Dans ce chapitre, nous verrons comment nous pouvons résoudre le problème de façon certaine et à notre avantage.

Il a été maintes fois démontré que lors de la récente remontée du Dow Jones, de 800 environ à 1 200, presque toutes les actions à très haute volatilité ont doublé ou triplé en l'espace de 8 mois.

Par rapport aux deux conditions que nous avons mentionnées ci-dessus, pouvons-nous dire si le choix de ces compagnies dont le prix a doublé ou triplé en l'espace de 8 mois était justifiable ? Autrement dit, pouvions-nous découvrir d'avance qu'une grande force animerait ces actions en particulier et dans quel sens elle agirait ?

Nous avons observé l'évolution du prix des actions de Merrill Lynch et de Philadelphia Electric. Si nous comparons l'évolution de leurs prix durant les fortes variations boursières de 1982 et 1983, étudions aussi leur comportement en tenant compte des deux conditions évoquées plus haut : pouvions-nous, dans ce cas précis, déterminer à l'avance si une grande force animerait les actions de Merrill Lynch et dans quel sens elle s'exercerait ?

En principe, une progression accélérée du prix d'une action survient surtout de deux façons. D'abord, ce peuvent être des forces extérieures étrangères à la compagnie qui poussent le prix des actions ; ou encore ce peut être une puissance interne propre à la compagnie.

Dans le premier cas, la montée résulte de l'effet d'entraînement global du marché : c'est la remontée générale du marché après la grande baisse cyclique. À ce moment, le

141

marché vient de toucher le creux, l'inflation est contrôlée et la banque centrale desserre les freins.

Au mois d'août 1982, les actions de Merrill Lynch viennent de passer de 45 $ à 21 $ (n'oubliez pas qu'il y a eu une division des actions depuis). À la même époque, les actions de Philadelphia Electric n'ont presque pas varié et restent autour de 15 $. Mais quelques mois plus tard, les actions de Merrill Lynch atteignent plus de 100 $, alors que celles de Philadelphia Electric atteignent à peine 20 $. Était-ce prévisible ? (Les variations de Merrill Lynch ont été de l'ordre de 500% et celles de Philadelphia Electric de l'ordre de 30%.)

Pouvions-nous connaître d'avance la différence de force qui animerait ces actions ? Comme nous l'avons expliqué au chapitre sur les cycles économiques et boursiers et au chapitre sur l'investissement graduel, le mouvement suivant devait se faire vers le haut et, en août 1982, il était imminent. Comme nous connaissions ce mouvement prochain, nous avions rempli la plus difficile des deux conditions citées précédemment ; en effet, grâce à notre méthode du chapitre « L'investissement graduel », nous prévoyons et démontrons que l'investisseur entre dans le marché au moment où la direction du prochain mouvement est déjà déterminée. La hausse pointe à l'horizon.

Pouvait-on détecter aussi facilement le deuxième facteur ? Pouvait-on prévoir qu'une très grande force animerait les actions de Merrill Lynch alors qu'aucune poussée importante n'animerait celles de Philadelphia Electric ? Dans la méthode que nous préconisons ici, la découverte des actions animées plus tard d'une grande force se fait d'une façon indirecte, par ricochet. On atteint cet objectif par l'intermédiaire d'un outil, la volatilité.

Selon cette méthode, il faut d'abord utiliser au maximum les cycles boursiers. Pour cette raison, on pourrait qualifier la méthode de cyclique. Mais elle ne serait pas complète si l'on n'y ajoutait pas l'élément majeur de rendement : l'utilisation du facteur de la volatilité. Neutre en soi, elle produit son effet dans un sens ou dans l'autre et n'indique que l'amplitude du mouvement du prix d'une action en regard du marché en général.

Lors des moments de panique, les variations à la baisse s'amplifient. Le fait que le prix des actions d'une compagnie soit soudainement projeté vers le bas ne vient pas du tout d'un revirement interne de la situation de cette compagnie ; c'est le marché dominant qui l'entraîne. Cependant, la force interne de cette compagnie accentue son mouvement et le témoin constant de cette puissance est la volatilité.

Les variations importantes du marché créent une force interne dans presque toutes les compagnies à grande volatilité. Cette puissance réelle provient cependant de l'extérieur.

Le phénomène découle de la situation elle-même. Celui qui comprend l'enchaînement des cycles boursiers et sa raison d'être doit accorder beaucoup d'importance à l'impact du degré de volatilité d'une action sur l'évolution du prix des actions. L'opportunité de choisir des actions dont le prix a été ébranlé par la conjoncture a été démontrée. Aussi, pour bénéficier le plus possible du mouvement du marché en général, on investira là où ce mouvement entraîne les plus grandes variations.

La volatilité prend donc ici toute son importance. La force interne qu'elle reflète peut projeter le prix de l'action dans un sens comme dans l'autre, vers le bas ou vers le haut. C'est précisément là le facteur qui permet de découvrir les compagnies qui subiront prochainement une grande poussée.

Dans le chapitre sur l'investissement graduel, j'ai indiqué quand et comment on doit investir pour s'assurer de le faire au bas du marché. Lorsque, en réponse à la récession, tout le marché a été projeté vers le bas, il est certain que le prochain mouvement portera vers le haut et entraînera dans toutes les compagnies à forte capacité de réaction une très grande poussée vers le sommet ; voilà une réaction tout à fait normale puisqu'en sens inverse la poussée de ces actions vers le bas a été amplifiée.

Vous avez pu le vérifier lorsque je vous ai demandé, dans un des chapitres précédents, d'observer la variation qu'avaient provoquée en 1982 et 1983 la baisse et la hausse du marché dans deux compagnies à volatilité très différente, soit Merrill Lynch (1,70) et Philadelphia Electric (0,60).

Ces deux actions ont subi le même effet d'entraînement vers le bas puis vers le haut, mais cette influence n'a pas provoqué en chacune d'elles la même réaction. La différence résulte de la volatilité. Voilà pourquoi j'attache beaucoup d'importance à cet outil dans ma méthode. Utilisez-le et tenez compte du cycle boursier pour investir ; vous pourrez ainsi détecter la force qui anime le prix des actions d'une compagnie et la direction dans laquelle jouera cette force.

16. Le prix

Les animaux habiles à grimper aux arbres sont petits. Par exception, certains gros y parviennent, mais ceux qui le font avec le plus d'aisance sont généralement petits. Je n'essaierai pas d'expliquer ce phénomène, mais a priori je suis enclin à conclure que ce n'est pas le fruit du hasard. Je n'essaierai pas non plus d'expliquer la raison de la distance prodigieuse des étoiles ; c'est comme ça et c'est tout.

De même, les actions à 20 $ ont plus de chances de doubler que les actions à 50 $, et les actions à 10 $ en ont encore plus.

Un courtier me donna un jour un document préparé par sa maison et qui recommandait l'achat de 15 actions, dont voici la liste :

Tableau 21

Allied Maintenance Corp.	11,25
Angelica Corp.	6,00
American Sterilizer (ASZ)	7,75
Bic Pen (BIC)	10,50
Brunswick Corp. (BC)	13,37
Carter-Wallace (CAR)	6,87
Coca-Cola Bottling	6,37
Clorox Co.	10,50
Coleco (CLO)	4,25
Gillette (GS)	25,75
Jewelcor Inc.	3,25
Levitz Furniture Corp.	22,75
Marion Laboratories Inc.	11,75
Robins (A.H.) Company Inc.	9,62
Sybron (SYB)	16,00

Le choix provenait de la méthode « The Ideal System », de Raymond Hanson Jr et Robert M. Mann. Ces derniers avaient exposé leur théorie dans le volume *Non Random Profit*. Leur étude démontrait que plus le prix d'une action est bas, plus ses chances de doubler, tripler, etc., sont grandes. J'avais constaté le même phénomène d'une façon empirique. Je reproduis ci-dessous un tableau qui est le résultat de leurs études.

Tableau 22
La relation entre le prix d'achat et la performance

Prix d'achat	Nombre de compagnies cibles	Gain moyen	Gain median
$\frac{1}{8}$– 2 $\frac{3}{8}$	88	1 021%	789%
2 $\frac{1}{2}$– 4 $\frac{7}{8}$	100	633%	533%
5 – 7 $\frac{3}{8}$	88	528%	297%
7 $\frac{1}{2}$– 9 $\frac{3}{8}$	63	400%	287%
10 –19 $\frac{7}{8}$	177	275%	226%
20 et plus	132	214%	155%

Il semble évident que plus les prix des actions qu'on achète sont bas, meilleures sont les possibilités de gain. Ce tableau éloquent montre que le gain est inversement proportionnel au prix d'achat, observation très utile au moment de la sélection.

J'étudiai donc l'éventail offert, puis j'établis mes choix : d'abord Coleco dont les actions valaient moins de 5 $; cette entreprise venait d'entreprendre la fabrication de jeux électroniques et m'intéressait. Je retins aussi Angelica, à 6 $. Cette compagnie vendait du matériel aux hôpitaux, secteur très attrayant depuis quelques années. J'achetai aussi Bic Pen qui innovait à l'époque et qui me semblait la seule du genre à adopter cette attitude dans un secteur passablement traditionnel et immobile.

Au bout de quelques mois, ces trois compagnies étaient celles qui avaient le plus progressé : Coleco avait triplé, Bic Pen doublé, Angelica aussi. Mon courtier constata la sagacité de mes choix et me demanda par quel hasard j'avais sélectionné ces compagnies en particulier. Quatre facteurs dominants m'avaient guidé : le secteur d'activité, l'évolution, la mobilité des profits et le prix.

Le choix de Carter-Wallace m'avait tenté aussi, puisque cette compagnie répondait à presque toutes mes exigences. Mais je l'ai éliminée à la dernière minute, croyant que sa progression serait un peu plus lente que celle des autres. En fait, elle fut à peine plus lente, puisqu'en moins d'un an son prix avait plus que doublé.

Pendant la même période, Gillette montait de 26 $ à 30 $. Cette action avait en réalité peu de chances de doubler (pas plus que le bœuf n'a de possibilités de grimper aux arbres, bien que le soleil l'y invite). Cette action ne répondait pas aux critères : sa mobilité, l'évolution de ses profits, son secteur d'activité et son optique du moment ne pouvaient créer aux yeux des investisseurs le mirage nécessaire pour projeter son prix plus haut. Sa lourdeur est

146

caractéristique ; en plus, son prix trop élevé en valeur absolue condamnait cet achat.

L'expérience nous enseigne donc que les actions à prix élevé ont plus de difficulté à doubler ou à tripler ; le tableau de messieurs Hanson et Mann le démontre clairement et complète bien le propos de ce chapitre. En temps normal, n'achetez pas une action à plus de 25 $; les chances sont meilleures avec un prix bas en valeur absolue.

17. L'achat d'actions comme mode de participation au marché

Dans l'un des chapitres précédents, je préconise prioritairement et sans ambages l'achat d'actions pour investir. Voilà une recommandation limitative : mais signifie-t-elle que la seule voie offerte consiste à acheter des actions ? Est-ce la seule façon de bénéficier des fluctuations du marché ? Les familiers du domaine boursier vous répondront évidemment que non. Il existe plusieurs modes de participation aux variations du marché boursier : les options, les bons de souscription (warrants), les obligations convertibles se prêtent tous à la spéculation. Pourquoi ai-je éliminé de prime abord ces autres façons de participer au marché ?

Puisque je fonde ma méthode sur l'utilisation maximale des moments exceptionnels d'investissement, ne serait-il pas préférable de bénéficier de l'effet de volatilité extraordinaire que procurent les options et les bons de souscription ? L'argent investi peut être multiplié un très grand nombre de fois à l'aide de ces instruments qui sembleraient tout indiqués dans les circonstances.

C'est d'ailleurs ce que j'avais fait en 1970 ; j'avais choisi d'investir dans les bons de souscription (warrants) pour bénéficier de la montée. À cette époque, de nombreux conglomérats venaient de surgir, et beaucoup de compagnies avaient émis des bons de souscription (warrants) : Lœw's

Theater, Kaufman Broad, LTV et beaucoup d'autres avaient mis en circulation des bons de souscription d'une durée d'au moins cinq ou six ans, dotés de toutes les caractéristiques propres à assurer un rendement intéressant.

À cause de leur volatilité, ces bons de souscription (warrants) constituaient une excellente acquisition ; cependant, le choix de bons de souscription appropriés n'est pas assez vaste ; j'ai ainsi constaté peu à peu qu'il nous faut éliminer ces bêtes intéressantes mais étranges, et trop limitatives quant au choix des compagnies cibles.

La plupart des investisseurs ignorent d'ailleurs le fonctionnement de ces instruments et l'expliquer ici serait trop lourd et n'entrerait pas dans mon propos. Retenez simplement que les investisseurs acquis à ma méthode ne devraient pas tenir compte d'eux.

En est-il de même des options ? Celles-ci fluctuent rapidement et jouissent d'un degré de variation exceptionnel. Elles peuvent multiplier l'argent investi plusieurs fois ; mais on doit les ignorer elles aussi pour certaines raisons : d'abord beaucoup de compagnies n'en ont pas ; de plus le temps les ronge peu à peu et vous devez donc payer une prime qui se trouve rognée jour après jour.

En somme, puisqu'elles perdent leur valeur avec le temps, les options ne peuvent assurer la quiétude nécessaire à l'acheteur qui mise une bonne partie de ses avoirs. Ce sont des instruments trop fragiles et dangereux pour en recommander l'utilisation.

Quant aux obligations convertibles, la majorité des compagnies n'en émettent pas et leur effet de volatilité ne se compare pas à celui des actions cibles recommandées précédemment.

En conclusion, choisissez donc des actions à bas prix et à volatilité élevée dans un secteur propice.

148

18. La prospection traditionnelle

Si les principes exposés dans les chapitres précédents guident nos choix d'actions cibles, ils ne pourraient s'appliquer à la lettre lorsque le marché piétine. Cette situation prévaut d'habitude pendant la période qui suit la grande montée, laquelle intervient tous les 4 ans, 4½ ans. Cette période de piétinement survient environ douze mois après la grande baisse et s'étend pendant un an et demi à deux ans. Pendant cette période, si l'investisseur ne peut se résoudre à suivre intégralement la méthode indiquée dans ce livre et veut à tout prix laisser ses placements dans le marché, il doit recourir à d'autres facteurs de détection et d'évaluation.

Mais avant d'en parler, je précise que les notions de ce chapitre dérogent aux principes que je préconise ; aussi, je ne les énumère qu'à titre d'informations. Je recommande une méthode d'investissement qui vous fait réussir à coup sûr. Par contre, ce chapitre fait référence à des techniques de sélection qu'utilise habituellement un joueur qui *tente* de jouer gagnant. Cependant, toute personne intéressée au marché doit porter attention à ce qui provoque, nourrit et entoure les mouvements de celui-ci. La connaissance et la compréhension profondes d'un phénomène fournissent souvent avertissements et mises en garde. En ce sens, ce chapitre a une place dans le présent exposé. J'ajoute que même parmi ceux qui auront lu ce livre et qui souscriront à ses principes, très peu auront la ténacité et la détermination nécessaires pour investir au moment propice et se retirer du marché lorsqu'il en est temps.

La méthode vous fait agir contre nature, c'est-à-dire qu'il faut en général se comporter à l'inverse de la masse des gens, chez qui l'instinct domine la raison.

Un ami qui avait lu le premier jet de ce livre me soulignait qu'il en approuvait les principes, mais il objectait que si tous les gens suivaient cette méthode, le système tomberait. Il disait vrai, mais une attitude aussi rationnelle ne peut être suivie par tous ceux qui gravitent autour du marché boursier. Quelqu'un a dit avec à-propos : « La connaissance vient, mais la sagesse traîne ».

Aussi, importe-t-il malgré tout de souligner que lorsque le marché piétine, l'investisseur à l'affût des situations intéressantes ne peut employer notre critère fondamental de sélection qu'est la volatilité. Dans cette conjoncture, seule la force interne d'une compagnie peut provoquer la montée du prix d'une action, sauf évidemment s'il y a manipulation, ou d'autres facteurs comme une prise de contrôle ou des recommandations massives de plusieurs grandes maisons.

Pendant cette période de stabilité relative, ce n'est pas l'ensemble du marché qui subit une influence favorable mais une action en particulier, laquelle jouit d'une situation privilégiée. Découvrir l'existence d'une force interne et la direction qu'elle prend est très important ; cependant, la méthode pour y parvenir diffère de celle que nous avons exposée plus haut.

Dans les pages du *Value Line Survey*, sous la rubrique « Timeliness », apparaît un chiffre de classification, de 1 à 5. Ce chiffre peut varier d'une compagnie à l'autre, mais aussi d'une semaine à l'autre selon l'évaluation que fait la maison de l'évolution de la compagnie.

Le chiffre 1 indique qu'à ce moment l'évaluateur a une haute opinion de la progression de la compagnie. C'est la meilleure cote. Le chiffre 5, au contraire, indique que la compagnie n'a pas le vent dans les voiles. Faut-il en tenir compte ?

Il semble que cette classification soit effectivement juste, puisque depuis plus de 15 ans le groupe coté 1 a toujours mieux évolué que le groupe coté 2. Et le groupe coté 2 a eu une performance supérieure à celle du groupe coté 3 et ainsi de suite. (L'abonnement à cette publication coûte plutôt cher. Mais vous pouvez vous abonner pour

150

une période d'essai à un prix relativement bas, en écrivant à Arnold Bernhard & Co Inc., 711 Third Avenue, New York, N.Y. 10017.)

Quant à moi, je n'accorde pas à cette classification une valeur absolue, mais je ne la rejette pas complètement non plus. On peut en tenir compte lors d'un choix, en lui attribuant toutefois un rôle particulier et je m'explique.

J'aime les situations en développement et je porte une attention spéciale à une compagnie dont la classification vient de progresser. Habituellement, une compagnie cotée 3 ne soulève pas l'intérêt mais elle peut le faire si tout à coup elle change pour la cote 2. C'est là la preuve de son évolution positive et dynamique. À cause d'un classement inférieur (3), cette compagnie n'a pas encore retenu l'attention de beaucoup d'investisseurs et peut être sous-évaluée. Cette observation a de l'importance parce qu'il est préférable d'investir au début d'un mouvement, quand la compagnie n'a pas encore attiré l'attention.

Les grandes progressions du prix d'une action se font en général avant que la nouvelle n'en parvienne au public. Quand l'aubaine devient accessible à la foule et que la nouvelle a été affichée partout, il est déjà trop tard. Ce serait plutôt le moment de vendre.

Est-il possible de découvrir qu'une compagnie témoigne d'une force interne soudaine et intéressante, alors que le marché piétine? Cette puissance émane presque toujours de gens proches de l'entreprise, qui sont au courant d'une bonne nouvelle et se mettent à accumuler des actions. Ce mouvement est difficile à percevoir au début. À ce moment, il faudrait pouvoir détecter cette amorce de mouvement vers la hausse, comme le font les investisseurs avertis qui scrutent en détail la moindre évolution des transactions d'actions d'une compagnie.

Certains investisseurs peuvent détecter et prévoir les grands mouvements du prix d'une action : ils représentent sur des graphiques l'évolution quotidienne du volume et du prix des actions ou des options d'une compagnie qui les intéresse. C'est un travail de moine, mais il peut être très révélateur. On arrive ainsi à connaître la nouvelle par observation, avant son étalement au grand jour ; en fait, on découvre une force interne et sa direction.

Il faut conclure de ces observations que l'investisseur doit essayer de découvrir dans certaines compagnies les forces internes qui sont à la source des variations et tenter de percevoir dans un marché qui piétine les valeurs qui brilleront lorsque les grandes variations de la masse monétaire seront stabilisées.

J'estime qu'il est presque irréalisable d'arriver à détecter les actions à forte performance avec régularité, sans se tromper. La majorité des investisseurs ne le peuvent pas ; ils ne possèdent pas les moyens et les méthodes pour y parvenir. Même les plus grandes maisons d'investissements n'ont pu établir une méthode de détection qui donne des résultats certains.

Je pourrais vous citer quantité d'exemples pour vous démontrer que la réussite des investisseurs professionnels ne dépasse pas celle d'un joueur qui, pour faire son choix, lancerait des dards sur la page financière d'un journal.

Aussi, la prospection d'actions se fait-elle habituellement dans le brouillard. Pour cette raison, l'expert qui prodigue ses conseils à l'investisseur moyen recommande toujours mille précautions. À titre d'exemple, je reproduis les conseils que donne M. Andrew Tobias dans son livre *The Only Investment Guide You'll Ever Need*. Dans ce livre que m'a remis un ami au moment où j'écrivais le présent chapitre, on lit les 18 conseils suivants :

1. N'investissez que l'argent dont vous n'aurez pas besoin pour plusieurs années ;
2. Achetez bas et vendez haut ;

3. Diversifiez en n'investissant pas tout au même moment;
4. Diversifiez en investissant dans des compagnies de secteurs différents;
5. Achetez des actions d'une compagnie en faisant une moyenne des prix;
6. Établissez-vous un programme d'investissements périodiques dans des fonds mutuels n'exigeant pas un droit d'entrée;
7. N'investissez pas dans une compagnie dont le prix est un haut multiple du revenu;
8. N'achetez pas dans une compagnie que tout le monde recommande;
9. Choisissez plutôt des compagnies ayant perdu la faveur du public;
10. Assurez-vous que les actions de compagnies que vous achèterez rapportent un dividende au moins égal à l'intérêt que vous obtenez dans un compte d'épargne à intérêt quotidien;
11. Méfiez-vous du rapport revenu/prix (P/E);
12. N'achetez jamais une action de compagnie que vous croyez à son juste prix;
13. Ne perdez pas d'argent à souscrire à des services d'investissement; choisissez d'abord des valeurs assurant un revenu solide et diversifié;
14. Attendez et détendez-vous;
15. Investissez, ne spéculez pas;
16. Vendez seulement quand une action a tellement monté que vous avez l'impression qu'elle ne représente plus une bonne valeur;
17. N'achetez jamais à la suite d'un appel vous proposant un achat;
18. Minimisez le coût de vos transactions.

Ce sont pour la plupart de très sages conseils, mais toutes les précautions dont s'entoure l'auteur de ce « bestseller » démontrent bien que l'on n'a pas résolu le problème de la détection des actions à haute performance dans un marché qui piétine.

Ce livre de M. Tobias, fouillis hétéroclite de conseils pertinents, n'est pas très encourageant. Conseiller d'acheter bas et de revendre haut est vraiment de tout repos. Quand les sages se contentent de recommander aux investisseurs ce genre de principes de sélection, ils démontrent de façon absolue qu'il est difficile de détecter les actions offrant la performance recherchée. Cet amoncellement de conseils décèle un vide. Et M. Tobias n'est pas le seul dans cette situation. Les institutions financières et les maisons de courtage, avec leurs brochettes de conseillers, sont toujours à la recherche de la méthode sûre.

En fermant le livre de M. Tobias, je me suis rappelé le mot de Voltaire :

> Ce qui m'a dégoûté de la profession d'avocat, c'est la profusion de choses inutiles dont on a voulu charger ma cervelle. « Au fait ! est ma devise ».

Par contre, il faut dire à l'avantage de M. Tobias qu'il a trop d'expérience pour ignorer que, dans un marché qui piétine, découvrir des actions qui seront animées d'une poussée à la hausse ne procède d'aucune méthode ; aussi, n'en préconise-t-il aucune. Son interprétation se fait en réalité par la négative ; il conseille aux gens d'acheter des actions qui n'ont plus de raisons de descendre. Est-ce que ces actions monteront ? C'est possible. Selon les techniques de prospection traditionnelle, c'est déjà faire preuve de sagesse.

19. Quand et comment sortir

Peut-on prédire, par projection ou extrapolation où s'arrêtera la poussée à la hausse ou à la baisse de l'indice boursier ? Pour faire cette projection, il faudrait, par des méthodes mathématiques, se servir des variations passées et prendre comme données de base les nouvelles composantes économiques dont l'influence se reflète sur l'ensemble des facteurs qui déterminent le comportement boursier.

Dans le passé, beaucoup d'apprentis-prophètes ont tenté de situer dans le temps l'évolution du marché boursier et d'en déterminer l'amplitude. Je ne connais aucune méthode qui puisse chiffrer l'évolution boursière avec régularité.

Le meilleur outil dont nous disposions est l'étude de la répétition des phénomènes. Avec certaines variantes, le marché se plie à ses anciens caprices à intervalles quasi réguliers. Il reprend sa courbe et la copie presque intégralement. L'observateur trouve dans la constance son meilleur outil de travail.

Il est assez facile de prédire l'époque et le sens des prochains grands mouvements. Les mathématiques toutefois ne nous aident pas. Le seul outil fiable dont nous disposions est l'expérience des phénomènes passés. Les données que fournit cette observation restent cependant muettes en ce qui concerne le degré précis d'amplitude qu'atteindra le mouvement. Cette mesure demeurera inconnue jusqu'à son avènement.

Dans le chapitre intitulé « Le rythme de croissance », nous estimions que la multiplication par 3 de l'argent investi représentait un objectif réaliste et souhaitable. Il faut nous en tenir à cette prévision. Dans ce domaine comme dans d'autres, il n'y a qu'une façon de réussir, c'est de ne rien laisser au hasard. Pour y arriver, nous devons adopter un système qui aboutit à coup sûr à une réussite et refuser d'y déroger.

Idéalement, il faudrait vendre quand le marché atteint son sommet. Il est probable que cela se produira deux ans et demi ou trois ans après le dernier grand creux du cycle. Faudra-t-il vendre à ce moment ? Fixer un objectif par rapport au temps écoulé paraît assez fantaisiste, tandis que viser une sortie à l'ultime sommet relève de la divination.

Nous avons constaté l'impossibilité de déterminer avec précision l'ampleur des mouvements boursiers ; aussi faut-il adopter une stratégie bien précise et particulière à chaque action cible.

Vous devez fixer le prix de vente en relation avec le prix d'achat. Si vous avez acheté une action à 12, vous devez vendre à 27 environ. Car si vous avez acheté à 12 à l'aide des marges du courtier, vous avez utilisé à peu près 9 $ de votre propre argent.

Au début de la baisse qui a conduit le Dow Jones à moins de 600 à la fin de 1974, il était tout à fait impossible de prévoir que le mouvement prendrait une telle ampleur. On ne pouvait prévoir non plus, au début des mouvements vers les sommets de 1973, 1976 et 1981, que la hausse perdrait son élan avant d'atteindre 1 000, mais que par contre la poussée de 1983 dépasserait la frontière du 1 200.

Malgré leurs élégants raffinements, les disciplines mathématiques restent très discrètes à ce sujet : l'extrapolation se refuse à l'aventure de la projection boursière. On pouvait prévoir qu'un jour la barrière du 1 050 céderait, mais en prédire le moment, aucun calcul mathématique ne le pouvait. Saisir toutes les données de la texture économique et leur donner une signification exacte quant à leur projection dans le marché boursier est un peu une loterie.

Aussi, il nous faut contourner l'obstacle et non pas faire comme M. Grandville qui s'évertue à déterminer les grands virages du marché boursier. Nous devons viser le profit et non pas nous lancer à la poursuite de visions chimériques.

Notre objectif consiste donc à tripler l'argent investi, cible facile à atteindre et résultat suffisant pour susciter une progression intéressante. Devons-nous fixer un prix ? Oui, pour deux raisons : d'abord pour ne pas nous tromper en vendant trop vite ou trop tard, et ensuite pour garder une

156

certaine quiétude mentale. L'inconfort psychologique qui accompagne toute situation de décision nous conduira à une mauvaise évaluation de la situation.

Certains investisseurs ont le défaut de vendre après un léger gain. Ils ont peur d'un revirement du marché, vendent trop vite et se privent ainsi d'un profit facile et à portée de la main. D'autres ne se décident jamais à vendre. Lorsque leurs actions atteignent un niveau de profit très intéressant, ils ne peuvent se résoudre à perdre le profit potentiel des jours suivants. Ils font penser à saint Augustin, qui disait : « Seigneur, accordez-moi la chasteté mais pas encore maintenant. » Aussi, notre méthode doit-elle tenir compte de la psychologie. Il faut agir à l'inverse de l'investisseur normal, dont l'homme d'expérience connaît le comportement : il ne peut se décider à vendre, ses actions lui collent aux mains.

S'il y a une légère baisse, l'investisseur moyen prétend qu'elle se corrigera dans les jours qui suivent. Il en vient à considérer que cette compagnie jouit ou profite d'une situation exceptionnelle, et que le prix ne peut que continuer à progresser. Aussi, beaucoup d'investisseurs ayant cette attitude subissent la grande dégringolade, les mains pleines d'actions. Ces gens savent qu'un jour la montée s'achèvera et qu'il faudra vendre, mais ils refusent de fixer une limite à leur profit.

Leur situation ressemble à celle du fumeur : celui-ci sait qu'il devrait cesser de fumer mais il a de la difficulté à fixer le moment où il le fera. À cause de ce comportement, il faut se donner des objectifs précis. Et il faut prendre la décision avant que le moment ne devienne critique. Le fumeur anxieux veut bien arrêter de fumer mais il refuse de le faire le lendemain même. S'il fixe une date, par exemple le jour de son anniversaire, il établit alors un processus moins strict qui lui permet de s'habituer à l'idée. L'arrêt sera moins brutal. Il semble plus facile d'arrêter de fumer grâce à ce processus que de toujours laisser la décision dans le vague.

La décision de vendre une action suit le même cheminement. Pour l'éternel optimiste, la tentation devient trop forte de la laisser encore un peu, dans l'espoir qu'après être montée à 50 $ elle passera à 55 $, puis à 60 $. L'appât du gain, c'est cela ; c'est dans notre nature.

Respectez vos objectifs ; parfois vous y perdrez, en d'autres occasions vous triompherez. Mais, au moins, vous éliminerez le fardeau d'avoir à décider si vous vendez à 45 $, à 46 $ ou à 47 $. Mais pourquoi à tel prix plutôt qu'à tel autre ? Ça, même le président de la compagnie en question ne pourrait vous le dire.

Nul doute que moins d'un an après avoir acheté, vous aurez vendu plusieurs de vos actions avec un profit appréciable. Votre argent investi dans telle ou telle compagnie aura déjà triplé. L'une après l'autre, les compagnies atteindront leur objectif. On peut accepter comme ligne directrice qu'à partir du grand creux cyclique le plus récent du marché, il s'écoulera de deux ans et demi à trois ans avant que ne s'amorce une autre grande baisse.

Entre-temps, le marché fluctuera mais sans grands dommages, avec une variation assez grande parfois mais jamais catastrophique. Pendant cette période, vous pouvez sans danger garder vos investissements. Si, à la fin de ce mouvement, certaines actions n'ont pas encore atteint leur objectif, vendez quand même.

Notez toutefois que lorsque vous aurez répété le manège à plusieurs reprises et que vous disposerez de sommes importantes, capables d'engendrer de gros profits, votre stratégie devra tenir compte de cet élément. Il se peut qu'à ce moment l'impôt risque d'avaler une grande partie de vos profits. Vous pourrez peut-être alors adopter une autre stratégie et ne vendre qu'une partie de vos actions.

158

À ce moment, vous aurez commencé à goûter aux inconvénients de la réussite.

Tableau 23

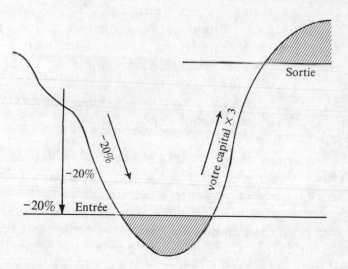

20. Le marché canadien

J'ai cité de nombreux exemples tirés pour la plupart du marché américain. En fait, la méthode que je propose n'a pas de frontières et les mécanismes que j'étudie se trouvent à peu près semblables sur tous les marchés boursiers.

J'ai choisi le marché de New York comme pierre angulaire de ma méthode pour plusieurs raisons. Il est le plus connu au monde, analysé et scruté chaque jour. Les actions qui s'y transigent paraissent dans les publications comme le *Value Line Survey*, qui évalue avec minutie une quantité innombrable de compagnies, la plupart américaines.

Nous y trouvons des compagnies étrangères, mais nous ne pourrions utiliser cet instrument pour un autre pays parce que les actions de compagnies étrangères y apparaissent en quantité restreinte.

J'aurais préféré utiliser le marché canadien, mais si je l'avais fait, ma démonstration n'aurait pas été adéquate. Il n'existe pas encore d'équivalent canadien du *Value Line Investment Survey*, et cette lacune constituait pour moi un handicap sérieux pour l'explication adéquate de la volatilité, élément qui prévaut lors du choix des cibles. Par contre, le lecteur peut intégrer à cette méthode les compagnies canadiennes qu'il connaît et qui répondent à peu près aux exigences indiquées.

L'autre aspect essentiel de la méthode, soit l'étude des cycles boursiers, aurait pu quant à lui trouver assez facilement une explication par l'intermédiaire des marchés canadiens, puisque ceux-ci deviennent avec les années une copie de plus en plus fidèle du marché américain. Les investisseurs connaissent la forte influence qu'exerce la conjoncture américaine sur le reste du monde, particulièrement sur le Canada, et ils en tiennent compte lors de leurs prévisions.

Étudier le marché américain, c'est donc étudier le marché canadien. Le phénomène moteur des cycles économiques et boursiers américains se répercute presque instantanément au Canada. Les deux économies sont intimement liées et les dissocier est impossible et non souhaitable. Les taux d'intérêt canadiens valsent au rythme des cadences imposées par la banque centrale américaine, et diminuer les taux d'intérêt canadiens, c'est s'exposer immédiatement à une sortie des capitaux. En somme, l'étude du marché canadien implique celle du marché américain. Investir sagement au Canada, c'est le faire au même moment qu'à Wall Street.

L'observation des graphiques reproduits ci-après semble révéler que seul le marché canadien moule sa trajectoire sur le mouvement de son équivalent américain. Erreur, car après la correction apportée par la dévaluation des monnaies en relation avec le dollar, ces parquets enregistrent à peu de choses près les mêmes variations.

En fait, seul le marché canadien ne nécessite aucune correction parce que le dollar y fluctue parallèlement à celui de son voisin. Les parquets des autres pays oscillent de la même façon mais seulement tel qu'il apparaît aux lignes pointillées, après la correction apportée à leurs mouvements pour tenir compte des variations de leurs monnaies en regard de la monnaie américaine (Tableau 24).

Par exemple, au milieu de l'année 1982, tous les marchés boursiers amorcent, à la suite du marché new-yorkais, une progression qui se poursuit pendant plusieurs mois en 1983. Tous suivent mais on observe des données particulières à chaque situation.

La poussée de 16% enregistrée en 1983 sur le marché américain entraîne dans son sillage des progressions beaucoup plus importantes sur d'autres marchés. Après la conversion en dollars américains, la valeur des actions de certains pays augmente à un rythme plus accéléré et, fait surprenant, c'est le Mexique qui affiche les meilleures performances.

MEXIQUE 164%
NORVÈGE 75%
DANEMARK 66%
AUSTRALIE 50%
SUÈDE 47%

Loin derrière on trouve le Canada, avec 29%, et la France, avec 28%.

Cette synchronisation démontre clairement que la banque centrale américaine, dirigée par M. Volcker, a bien en main le sort de l'économie des principaux pays du monde

161

Tableau 24

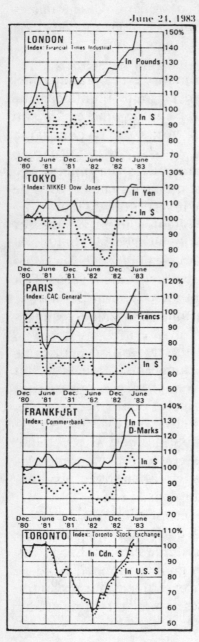

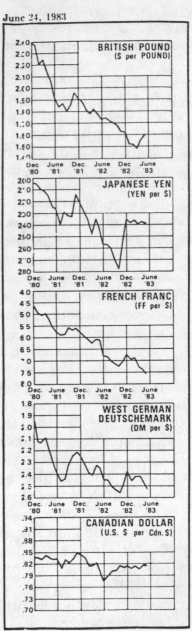

162

libre, ou que, tout au moins, elle joue pour eux le rôle de chef d'orchestre.

Dans la grande roue

À la foire économique, la bourse, c'est la grande roue. On la voit de loin ; bien parée et toute illuminée, elle fascine. Du haut de sa structure elle domine et, de son sommet, l'observateur attentif voit tout le panorama économique s'étaler et dévoiler sous ses yeux la marche future de l'économie. Pour certains, elle est baromètre, elle prévoit ; pour d'autres, elle n'est qu'envoûtement, roue de fortune et casino. On peut y être investisseur ou joueur.

Quand tous les manèges virevoltent, sautent, bondissent et s'agitent dans un mouvement indéchiffrable, la grande roue accomplit sa révolution lente et bien ordonnée. Ses sièges bougent avec régularité, selon le rythme imposé ; ceux d'en bas montent et ceux d'en haut descendent. De même, l'économie et la bourse répètent depuis des dizaines d'années le même cycle.

Gagner à la bourse, c'est détecter de six à neuf mois d'avance l'effet de l'impulsion donnée à la machine. La bourse monte avec les premiers mouvements précurseurs de l'expansion monétaire et le prix de l'or augmente dès les premiers signes annonciateurs d'inflation. Dans la grande roue, chaque position du siège annonce déjà sa prochaine trajectoire. L'investisseur averti décèle les prochains mouvements boursiers des mois à l'avance ; attendre les résultats financiers, c'est manquer son tour dans la roue.

Dès lors, l'étude du cycle économique et boursier devient un outil indispensable. À quelle phase du développement en est-on ? L'époque, la durée et l'amplitude des mouvements passés ont bâti un guide rationnel, froid et rigide. Convoiter un siège, c'est s'enchaîner pour un temps au manège, c'est lier le sort de ses avoirs au rythme et aux cycles du mouvement.

La longueur des rayons de la grande roue détermine et indique la hauteur qu'atteindra le siège. De même, un regard à la volatilité d'une action dévoile le plus souvent jusqu'à quel prix peut être entraînée cette action par le cycle économique en cours.

En prenant place dans un siège, le passager sait que le prochain mouvement l'entraînera vers les hauteurs. De même l'investisseur doit garder en mémoire que la répétition du cycle économique et boursier est une réalité qui s'appuie sur une expérience séculaire.

Après des bénéfices importants, l'investisseur sérieux s'accorde tout au plus le crédit d'avoir profité du mouvement au bon moment plutôt que de s'attribuer une grande perspicacité dans le choix de ses actions. Au sommet, il vit l'euphorie des hauteurs, la frénésie d'une réussite facile. À ce moment, tous les manèges en bas tournent à une vitesse effrénée. C'est le moment des prises de contrôle de compagnies par d'autres ; il y a un afflux d'émissions de nouvelles actions. Les compagnies avides de fonds pour une expansion émettent de nouvelles actions qu'achète facilement la clientèle cible. Les compagnies choisissent ce moment propice pour recourir aux fonds des investisseurs, puisque l'économie est en effervescence.

Envoûtés, tous les investisseurs convergent vers la grande roue. La rumeur circule qu'un tel a fait de l'argent. On oublie que le marché boursier est un manège : si quelqu'un y a fait de l'argent, c'est qu'il y était lors de la montée. En période de haute conjoncture économique, le climat boursier fait de la haute voltige, et l'engouement du public coïncide malheureusement avec la veille de l'effondrement ; lorsque celui-ci survient, l'investisseur se met à perdre.

Les statistiques révèlent que, immédiatement avant ce mouvement déflationniste, 85% des initiés, c'est-à-dire des gens les plus près des compagnies, vendent et bien souvent le font depuis des mois. L'emballement des manèges signale le danger et avertit les connaisseurs. La banque centrale appliquera les freins et ralentira les moteurs. La lecture des données de l'inflation commandera son action. Depuis des années, le cœur du monde financier bat au rythme de la masse monétaire. Chaque semaine, on attend religieusement la publication des statistiques dont dépendent les taux d'intérêt et le marché boursier.

En mai 1983, les médias américains annonçaient que, selon les sondages, M. Paul Volcker, président de la Banque centrale américaine, représentait la personne la plus influente aux États-Unis après le président Reagan ; voilà une preuve éloquente que peu à peu, dans tous les milieux, on prend conscience de l'importance de la Banque centrale.

Somme toute, comprendre les « sautes d'humeur » boursières, c'est plonger au cœur du système économique.

> PRENEZ UN SIÈGE,
> IL TOURNE EN ROND ;
> D'EN BAS ON MONTE,
> D'EN HAUT ON DESCEND.

La multitude se précipite tout en haut.

La roue les déverse en bas en catastrophe et continuera de le faire.

Heureusement, vous n'êtes pas parmi la multitude...

(APPENDICE)

L'or

On a troqué de la viande et du grain contre des broderies pendant des millénaires. Cette pratique toute naturelle répond aux besoins des humains et certains aujourd'hui s'y adonnent encore. Mais chez la plupart des peuples, à mesure que la civilisation évolue, les échanges de biens se multiplient et des coutumes commerciales s'élaborent.

L'occupation d'espaces géographiques plus vastes et des habitudes moins primitives dictent bientôt un système d'échange à la plupart des communautés humaines. Pressé par un urgent besoin de grain, alors que ses broderies sont encore sur le métier, et forcé de s'éloigner à cause de la rareté du bien, l'homme doit transiger avec des commerçants étrangers et accepter de donner diverses marchandises en gage contre la livraison ultérieure de ses broderies. Comme il lui est plus facile de donner en garantie de livraison une perle, un peu d'or ou des bijoux qu'une partie de son troupeau, certains biens acceptés par tous acquièrent bientôt une valeur d'échange. En fait, personne n'a jamais reçu le prix Nobel à titre posthume pour l'invention de la monnaie ; c'est l'usage qui a créé et perfectionné cet instrument ; son utilisation est née du besoin et la coutume l'a façonné.

L'Indien du Canada savait que chaque hiver les fourrures seraient précieuses. Transportables, utiles, elles avaient une valeur d'échange. Mais ces peaux, malgré leurs qualités, ne prirent jamais vraiment rang parmi les monnaies, car les bois fourmillaient d'animaux qui alimentaient le trappeur en abondance ; elles n'avaient pas la qualité de la rareté. Par ailleurs, certains coquillages, la nacre indienne, le « wampum », recherchés et rares, s'échangeaient dans toutes les tribus de la région ; l'acceptation générale leur conférait le titre de monnaie.

Pourtant, l'usage n'a jamais accordé au « wampum » le statut de monnaie universelle. Ces coquillages se détériorent, ils ne résistent pas à l'usure du temps, et toutes les civilisations n'auraient jamais accordé à ce bien une valeur universelle d'échange ; certaines qualités essentielles à la monnaie lui font défaut. Par contre, certains métaux répondent à ces exigences. Depuis quelques milliers d'années, on extrait l'or des entrailles de la terre. Plus de 500 ans avant Jésus-Christ, le roi Crésus le frappait déjà pour en faire une monnaie et il n'était peut-être pas le premier à le faire. Le métal jaune est rare mais pas trop : les quantités extraites jusqu'à ce jour forment un bloc de la grosseur d'un édifice de 5 à 6 étages. Il est inaltérable à l'air et à l'eau, malléable, recherché, divisible matériellement et économiquement, transportable, accepté de tous, homogène et anonyme. Pour toutes ces raisons, il a toujours eu, aussi loin que remonte la mémoire des civilisations, une valeur de monnaie d'échange et il la gardera.

Pour obtenir une valeur intermédiaire universelle d'échange, un bien doit d'abord recevoir l'acceptation de l'ensemble des communautés. L'or et l'argent se maintinrent longtemps à égalité grâce à leurs qualités intrinsèques et le triomphe de l'un n'est le fait de personne. Aucun pays n'a imposé l'or ; sa prééminence est due à ses propres vertus. Son triomphe couronne d'âpres luttes, car longtemps l'argent lui a livré un combat de titan.

L'Occident n'abandonne le métal blanc qu'au XIXe siècle pour n'utiliser à partir de là que l'étalon-or. L'Orient résiste un peu plus longtemps ; des centaines d'années vouées à l'étalon-argent lui dictent une fidélité qu'elle garde jusqu'au début du XXe siècle.

En même temps, l'or livre une autre bataille : on tente de lui substituer une nouvelle forme d'échange, le papier monnaie. Au XVIIe siècle, on invente le billet de banque. Au début, ce n'est qu'un certificat de dépôt d'or, un bon gagé d'or, mais peu à peu le billet devient une fraction puis un multiple de l'encaisse métallique ; il cesse de représenter l'or comme à son origine. Le banquier ne peut dès lors honorer au même moment tous les billets émis, ses réserves d'or ne suffisent pas.

Acheter avec de l'or ou un morceau de papier importe peu, pourvu que l'instrument présenté soit accepté avec sa pleine valeur de représentation. Tant que le billet représente une encaisse métallique, c'est de l'or en banque; mais lorsque la couverture-or devient fractionnaire la confiance s'amincit avec raison. Si le banquier a émis des billets pour 100 louis d'or alors qu'il n'en a que 80, cette couverture est fractionnaire. Le problème se présente vraiment lorsqu'une personne méfiante préfère et exige un paiement en or plutôt qu'en billet représentant la même valeur. Cette fuite du papier et cette préférence donnée au métal, traduites en langage commercial, font que le prix de l'or monte; en langage réel, le dollar perd de sa valeur, il se dévalue. En fait, on achète l'or pour s'assurer un refuge, car on a peur.

En Allemagne, quelques années avant l'avènement d'Hitler au pouvoir, on changeait le prix des marchandises deux fois par jour. Acheter un pain nécessitait une brouette de marks. Beaucoup de pays d'Amérique du Sud vivent depuis des années des problèmes semblables. En 1983, l'inflation atteint en Israël le chiffre annuel de 180%; elle s'élève à 21% pendant le seul mois d'octobre.

Dans des circonstances semblables, l'épargnant refuse de toucher à la monnaie de papier. Il trouve refuge dans d'autres biens, l'or étant particulièrement indiqué. Le prix de l'or ne monte pas, la monnaie de papier se dévalue.

Tout ceci pour dire qu'en fait, on évalue l'or en fonction de la monnaie de papier. Ses fluctuations s'amplifient suivant la diminution progressive de l'encaisse métallique de base.

On peut illustrer les fluctuations du prix de l'or comme ceci:

Tableau 25

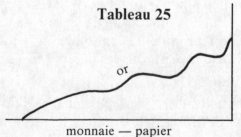

monnaie — papier

168

Mais l'illustration suivante traduit mieux la réalité. En soi, la valeur de l'or est immuable. La même quantité d'or achète présentement la même quantité de pain qu'il y a trois cents ans ou mille ans.

Tableau 26

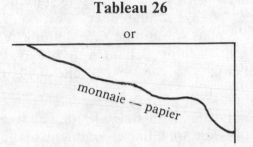

Entre les deux grandes guerres, on soutint qu'un jour la mystique de l'or disparaîtrait. On espérait qu'un jour l'étalon-or soit abandonné et qu'on puisse alors ridiculiser le fait d'avoir autrefois réglé ses échanges et fait reposer la prospérité sur la profondeur des gisements du métal précieux. Mais l'histoire récente démontre qu'on ne peut abandonner l'or ; le papier monnaie doit reposer, au moins partiellement, sur de l'encaisse métallique d'or.

Contrairement à ce qu'annonçaient les prévisions, au lieu d'être écarté, le métal jaune est plus que jamais au cœur de l'actualité. On lui restitue sa valeur d'antan, il trône au firmament des échanges. La Russie troque du blé contre de l'or. En 1983, le Portugal diminue sa dette en vendant de l'or. On calcule les encaisses métalliques des pays. Les scheiks d'Arabie se font payer l'huile en or qu'ils entassent.

L'histoire moderne de l'or se moule sur l'attitude qu'adoptent les gouvernements à son égard. Sans entrer dans les méandres et les distorsions créées par les guerres et les paniques occasionnelles, on peut avancer qu'aux États-Unis, de 1834 à 1934, l'or demeura fixé au prix de 20,67 $. Le dollar, c'était de l'or. Sauf durant quelques périodes mouvementées, de durée très limitée, le rapport entre le dollar et le prix de l'or demeura constant. En 1934, à la suite des événements des années précédentes, on en fixa le prix à 35 $ U.S. et, à la fin de la guerre en 1944, à Bretton Woods, le gouvernement américain, muni d'énormes réserves du métal, accepta de garantir la stabilité du dollar en assurant l'échange d'une once d'or contre 35 $ et l'inverse. Désormais, le monde économique se laisserait bercer au son de la flûte enchantée du dollar, vibrerait à son diapason et lierait sa destinée à celle de l'harmonieuse prospérité américaine.

Au début des années 1960, le prix de l'or stagne encore à 35 $ l'once. En fait, on a fixé et maintenu artificiellement le prix à ce niveau. Mais bientôt, la communauté mondiale refuse ce barème. Les citoyens du monde acceptent les billets verts américains mais les échangent aussitôt contre leur valeur en onces d'or. Le gouvernement américain demande qu'on n'exige pas l'équivalent en or de ses billets, mais on le fait, et de plus en plus. On fuit les dollars au profit de l'or, et cette fuite s'accentue à un point tel que les réserves du gouvernement américain entreposées à Fort Knox sortent à un rythme alarmant.

De 1939 à 1949, le Trésor américain avait accumulé le précieux métal. En 1949, ses réserves atteignent 698 millions d'onces, puis la tendance se renverse et le stock diminue jusqu'en 1971, à 292 millions d'onces. À ce moment, par ordre du Président, on cesse de convertir le papier-monnaie en or.

En fait, le Trésor américain se rend à l'évidence et accorde lui aussi plus de valeur à la matière tangible qu'est le métal qu'à sa propre monnaie, les billets verts. D'ailleurs, avant d'arrêter définitivement l'hémorragie en 1971, on avait dès 1967 cessé de maintenir le plafond à 35 $ l'once, et l'or à cette date avait commencé un mouvement ascendant morcelé de tendances temporaires à la baisse, dans une série de fluctuations dont on pouvait difficilement évaluer les forces.

En somme, après avoir dû cesser de contrôler le prix, le gouvernement américain se voit aussi obligé d'annuler la convertibilité. Il ne livre plus à personne l'encaisse métallique contre les billets verts. Désormais le billet vert, ce n'est plus de l'or. On instaure le billet vert comme monnaie, le métal est théoriquement démonétisé. Le Trésor américain ne veut plus se départir de son or.

Le tableau suivant vous montre à quel point a fluctué le prix moyen de l'or depuis 1834 :

Tableau 27

ANNÉE	PRIX
1834 à 1934	20,67 $ l'once.
1934 à 1967	35,00 $ l'once.
1968	39,00 $ l'once.
1969	42,00 $ l'once.
1970	36,00 $ l'once.
1971	41,00 $ l'once.
1972	59,00 $ l'once.
1973	98,00 $ l'once.
1974	160,00 $ l'once.
1975	161,00 $ l'once.
1976	125,00 $ l'once.
1977	148,00 $ l'once.
1978	194,00 $ l'once.
1979	308,00 $ l'once.
1980	613,00 $ l'once.
1981	460,00 $ l'once.
1982	348,00 $ l'once.
1983	

L'or résiste au chaos, il traverse les crises et les guerres. Mais ce qu'il représente se modifie selon les régions du monde et les époques. Par exemple, pour les Américains, ce métal n'était qu'un objet symbolique et n'avait aucun lien avec la prospérité ; il était un bijou, un objet de musée. Sa valeur d'investissement date de peu.

Ainsi, en 1933, on interdit aux citoyens américains de détenir ce métal dans leur pays. En 1960, on élargit cette interdiction : il ne lui est permis d'en détenir nulle part au monde. En janvier 1975, on abandonne cette politique et on restitue au citoyen tous ses droits.

Les expériences et bien souvent la mémoire historique gravent les habitudes. L'Américain ignore l'or par tradition mais il accumule les actions de compagnies. Le Français, au contraire, ignore le marché boursier en général et thésaurise sous forme d'or ou d'actions de compagnies aurifères. Les Français détiennent le quart du stock mondial d'or (hors des réserves des banques centrales), sous forme de lingots et de pièces conservés dans les coffrets des banques ou à domicile. Ils détiennent en outre 10% du capital des mines d'or sud-africaines.

Quelle attitude doit adopter l'investisseur prudent? Doit-il acheter de l'or et le conserver? Doit-il ignorer l'or, ou le transiger dans l'espoir d'une hausse profitable?

En fait, vis-à-vis de l'or comme vis-à-vis des actions, il doit se laisser guider par certains principes de base. Il y a lieu de se demander d'abord si nous pouvons détecter la direction des mouvements du prix de l'or et d'observer ensuite si la poussée s'effectue à un rythme suffisant pour susciter notre intérêt.

Convoité autrefois pour sa beauté et employé en joaillerie, l'or nourrit l'imagination et invente un monde d'images : explorateurs courant le monde à sa recherche, galions espagnols sillonnant les mers du Sud à sa poursuite, ruées vers l'or en Californie et au Klondike, arrière grand-père qui gratte le fond d'une rivière en Beauce et parvient à élever 22 enfants. Une récolte de 400 $ en un jour fait jaillir des châteaux et entretient des légendes.

Au fait qu'il est source d'enchantement depuis des millénaires et qu'il est devenu monnaie universelle, s'ajoute au milieu du XXᵉ siècle une utilisation industrielle de l'or.

Mais pour l'investisseur, que l'or soit monnaie, investissement ou métal industriel n'a pas d'importance, pourvu qu'il puisse identifier clairement les facteurs à l'origine des variations du prix.

Prévoir les fluctuations du prix de l'or, c'est d'abord scruter et comprendre le passé, identifier les sources des variations puis évaluer les probabilités de la répétition du phénomène. Les causes des fluctuations proviennent-elles du hasard ou peut-on les reconnaître ? Si les phénomènes sont de type répétitif et presque inévitables, l'identification de leurs causes résout notre énigme. L'investisseur n'aura qu'à bien placer ses pions à l'avènement de certains phénomènes.

En pleine crise boursière à la fin de 1974, alors que le Dow Jones vient de tomber de 1000 à 600, l'or atteint 190 $ U.S. l'once. La crise se résorbe ensuite quelque peu, le prix de l'or fléchit à 140 $ U.S., puis reprend à la fin de 1976 pour entreprendre une poussée le menant en janvier 1980 au sommet incroyable de 850 $ U.S. l'once.

En 1982, son prix diminue de nouveau jusqu'à 300 $ U.S., rebondit à 500 $ U.S., rediminue à la fin de 1983 pour traverser la frontière des 400 $ U.S. avant de reprendre son élan. (Au moment où j'écris ces lignes, l'or fluctue autour de 365 $ U.S. et l'argent est à 8 $ U.S.) On le voit, les fluctuations sont énormes ; pendant cette période, l'or a connu tour à tour des hausses vertigineuses et des baisses tumultueuses. Quels facteurs engendrent ces fluctuations et président à leurs mouvements ?

La communauté financière évoque tour à tour une multitude de facteurs qui influenceraient le prix de l'or :

écart entre la production et la consommation, événements et drames politiques et sociaux, prévisions de hausses, défauts de paiement des dettes de certains pays, achats de biens par la Russie et afflux de son or sur le marché, variations des taux d'intérêt, prix de l'huile, inflation, etc.

En analysant les facteurs d'influence les plus souvent invoqués, essayons de dégager les vraies forces motrices de ces fluctuations.

La production contre la consommation. Le globe continue d'ouvrir ses entrailles chaque année et de livrer de 30 à 40 millions d'onces d'or. L'Afrique du Sud en extrait plus de la moitié, l'U.R.S.S. 22%, les États-Unis 3% et le Canada avec ses 4% se classe troisième, mais sa production est en net progrès. Soixante pays de tous les continents apportent leurs petits lingots ; le Créateur n'a pas réparti la semence selon une juste distribution, mais il a laissé tomber les pépites ici et là avec soin.

Des 1300 tonnes produites en 1980, plus de 200 ne sont jamais parvenues aux marchés mondiaux. La production du monde communiste n'arrive qu'occasionnellement sur le marché et quand on en écoule une partie à l'Ouest, elle n'est pas vendue mais troquée. À court de biens, céréales, pétrole ou autres, les Russes échangent leur or, mais ils ne le font que quand ils y sont acculés. Après plus de cinquante ans de régime communiste, le bloc soviétique observe la consigne donnée par Lénine, le grand propagandiste du collectivisme, et entasse le plus possible l'or extrait.

Selon David Potts, expert en la matière, les 1300 tonnes de la production mondiale de 1980 se répartissent de la façon suivante. Le monde communiste en a gardé 267 tonnes. Les réserves officielles en ont recherché 230 tonnes, l'industrie de la bijouterie 120, l'électronique, 81 la dentisterie, 62 tonnes, les médailles et médaillons, 15 tonnes, la frappe de monnaie 179, les autres emplois industriels et

174

de décoration 64 tonnes. Il restait au monde de la spéculation et de l'investissement 282 tonnes.

La production mondiale diminue depuis quelques années, mais contrairement à ce que croyait l'opinion publique autrefois, la demande industrielle ne progresse pas avec régularité. La firme Goldman Sachs estimait que la demande manufacturière était en baisse de 20% en 1983, puisqu'elle n'était plus que de 28,4 millions d'onces en regard des 35 millions d'onces de 1982. La demande en joaillerie, comme celle des autres emplois industriels, oscille selon la conjoncture économique. En période de grande prospérité, la demande augmente. En somme, elle n'est pas constante et fluctue selon le sort de l'économie mondiale. Aussi, conclure que l'écart entre la consommation et la production détermine la marche des prix, c'est faire fausse route.

Les opérations qui furent fondées sur ce postulat conduisirent à des déroutes retentissantes. En 1869, James Fisk et Jay Gould perdirent en une heure vingt millions de dollars, lorsque leur tentative de prise de contrôle de l'or échoua. À cette occasion, le trésor américain inonda le marché de 4 millions d'onces. La fixation du prix d'après la production ne tenait pas compte d'un tel geste. En 1980, Bunker Hunt et ses associés pensèrent prendre le contrôle de l'argent et ils apprirent eux aussi qu'évaluer le niveau de production et de consommation pour estimer l'afflux de la quantité de métal sur le marché, c'est pécher par inexpérience. La fonte des cuillers et de nouvelles réglementations perturbèrent le prix de l'argent, qui s'effondra en quelques mois de 50 $ à 10 $. Les desseins de M. Hunt et de ses associés furent dérangés par des données inattendues.

L'or n'est pas seulement un métal d'utilisation commerciale et industrielle, il sert à l'investissement et à la spéculation. Cette possibilité de multiples fonctions du métal enlève à la loi de l'offre et de la demande la rigueur qui s'applique dans d'autres situations.

La montée fulgurante du prix de l'or en 1974, puis celle encore plus stupéfiante de 1980, n'étaient pas causées par une diminution de la production ou une augmentation de la consommation. L'écart entre la quantité produite et la quantité consommée n'est pas seul à exercer une influence, comme pour d'autres métaux. Les masses du métal accumulées depuis des générations demeurent disponibles et jouent les rôles de zone tampon et de soupape. À certains moments entre en jeu l'élasticité de ces masses, l'or demeurant toujours disponible pour divers usages. En somme, il faut se méfier des conclusions tirées de statistiques qui évaluent les écarts entre la production et la consommation.

L'or n'est pas seulement une matière de base ; il est aussi monnaie, refuge, investissement et objet de spéculation.

Événements et drames internationaux. Le baril de poudre que promènent les États-Unis et l'U.R.S.S. d'un bout à l'autre du globe, grâce à leurs tentacules, influence-t-il le prix de l'or et est-il déterminant ? Le dépôt du baril en des points plus ou moins névralgiques coïncide-t-il avec des poussées du prix de l'or ? Existe-t-il une relation entre guerre, danger et prix ?

Depuis des siècles, toutes les guerres, sauf la dernière, furent suivies de périodes de crise. À ces différentes époques, les fins de guerre apportaient disette, récession, crise et famine ; les biens perdaient leur valeur. Aussi, en temps de guerre, on achetait de l'or ; il servait de refuge pour se prémunir contre la baisse des autres biens. Le spectre des crises hantait l'imagination populaire, et on craignait la diminution de la valeur des biens. Aujourd'hui, on connaît l'inverse. On craint la hausse du prix des biens, eu égard à la monnaie de papier, et pour s'en prémunir on achète de l'or ; la monnaie perd de sa valeur.

Le prix de l'or semble aussi influencé et il varie en fonction de la proximité et de l'intensité du danger d'une guerre totale. La guerre des Malouines, l'engagement des « marines » américains à Beyrouth et l'assassinat du président Sadate d'Égypte n'influencèrent pas substantiellement le prix de l'or.

Par contre, l'invasion de l'Afghanistan et les événements d'Iran coïncidèrent avec une montée spectaculaire du prix du métal. Ces deux événements n'engendrèrent certainement pas la forte poussée que connut à ce moment le prix du métal, mais vu la dimension qu'ils auraient pu prendre ils contribuèrent à accentuer la montée du prix.

L'intensité du danger d'un éventuel cataclysme anime à l'occasion les fluctuations du cours. Il est certain que l'invasion de l'Europe, du Canada ou des États-Unis modifierait le cours dollar-or. À l'approche d'une victoire des Russes, les dollars américains brûleraient les doigts des gens. On échangerait en vitesse les billets verts pour de l'or, ce qui créerait une augmentation relative du prix de l'or.

Le déplacement du baril de poudre est perçu comme un facteur d'influence, mais il n'explique pas toutes les montées et baisses récentes. Dire que le prix de l'or ignore les dangers d'une guerre est faux, mais conseiller de l'acheter au bruit des canons peut également se révéler néfaste.

Prévisions de hausses. En achetant de l'or, les investisseurs prévoient une augmentation du prix provoquée par le fait que les autres spéculateurs auront le même raisonnement.

La prévision d'une hausse ou d'une baisse peut-elle enclencher le phénomène ? On peut dire qu'elle influence le mouvement, mais elle n'est pas l'initiatrice de la tendance. Autrement dit, à la phase finale d'une montée ou d'une descente ou même en cours de mouvement, le prix de l'or monte ou baisse, comme le fait d'ailleurs le prix d'une action, seulement parce que telle est sa direction et non parce que des facteurs fondamentaux la poussent. En descente, le pessimisme l'entraîne à la baisse et l'installe. L'inertie généralisée de l'environnement prolonge la chute. Le ressort s'étire. Il en est de même lors des montées. L'anticipation ne joue pas lorsque le phénomène est enclenché. Le principe des vases communicants intervient dans le mouvement mais non dans l'état d'esprit des investisseurs. En somme, c'est le mouvement du marché qui génère l'état d'esprit des investisseurs.

L'anticipation d'une hausse ou d'une baisse ne provoque pas les grandes poussées dans un sens ou dans l'autre. Il en est de même de la fluctuation des taux d'intérêt, de l'écoulement de l'or des pays du bloc communiste, de la crainte d'un défaut de paiement de pays en voie de développement, et du prix de l'huile. Ces facteurs se greffent aux facteurs fondamentaux, ils accompagnent et accentuent les mouvements mais ils ne sont pas primordiaux. Ils peuvent modifier momentanément la courbe, mais ils n'altèrent pas la tendance générale.

L'inflation. Pour réussir, l'investisseur doit développer une aptitude à définir les situations et non les subir. Malgré sa longue histoire, le marché de l'or est jeune, et extraire d'un amas d'influences les éléments moteurs des grandes tendances pose un sérieux défi.

Comme nous le demandions précédemment dans ce chapitre, quelle attitude doit donc adopter l'investisseur prudent ? Doit-il acheter de l'or et le conserver ? Doit-il ignorer l'or, ou le transiger dans l'espoir d'une hausse profitable ?

Nous précisions à ce moment-là qu'il faut d'abord se demander si la direction des mouvements du prix de l'or est prévisible et examiner ensuite si la poussée a un rythme suffisant pour susciter notre intérêt. Voyons donc si nous avons progressé dans l'étude de ces deux questions.

Depuis plus de 500 ans, le prix de l'or a toujours suivi ou dépassé le rythme de l'inflation. Investir dans ce métal constituait-il alors seulement une assurance ou par surcroît un moyen de faire fortune?

Au-delà de sa dimension de protection du capital, l'or peut-il représenter une possibilité de gain considérable et rapide?

Le cours de l'or a connu ces dernières années une grande fluctuation. Il est donc possible de réaliser rapidement des gains importants, mais encore faut-il connaître le moment des renversements de tendances et prévoir également les grandes poussées.

À l'automne de 1980, l'inflation anormalement haute s'enracinait dans les sommets. L'or était coté à plus de 750 $ l'once. La plupart des analystes hantant les bureaux des courtiers prédisaient la continuation de la montée et tout portait effectivement à les croire. Les investisseurs nourris à ces sources s'attendaient à ce que le prix de l'or monte bien au-delà de 1000 $ l'once; certains parlaient même de 2000 $ à 3000 $.

Retranchées depuis quelques années au Costa Rica, deux analystes encore inconnues, Mary Ann et Pamela Aden, annonçaient à la communauté financière qu'au contraire l'or entrerait prochainement dans une phase à la baisse qui se poursuivrait jusqu'à l'été de 1982. Cette chute entraînerait le prix du métal aussi bas que 300 $ U.S., et l'inflation prendrait la même direction.

Les conseils des sœurs Aden durant cette période euphorique n'émurent personne sur le parquet, et encore moins les investisseurs. Pendant un court laps de temps, le cours de l'or continua sa poussée; il atteignit plus de 800 $ U.S. une semaine, franchit le cap des 850 $ et, en juin

1982, toucha le fond à 297 $. Le taux d'inflation l'accompagna dans sa chute, presque simultanément.

Était-ce le hasard ? Les sœurs Aden avaient-elles vraiment réussi à comprendre ce qui allait se passer ? Étaient-elles des fantaisistes ou des spécialistes armées de chiffres puisés à des sources très précises ?

Une étude de leurs prédictions antérieures révèle qu'en 1976, elles annoncent qu'à 130 $ U.S. l'once l'or touche le fond du cycle et qu'il est temps d'acheter. Lorsque, deux ans plus tard, l'or atteint la frontière de 200 $ U.S., elles annoncent aux investisseurs incrédules que le prix monterait, en 1980, entre 700 $ U.S. et 800 $ U.S. l'once. Elles avaient vu juste : l'or atteint le prix de 850 $ U.S. à la date indiquée.

Vraiment, la matérialisation de leurs prédictions se répète trop souvent. Des tirs d'une précision aussi spectaculaire ne peuvent être le fruit du hasard. De quels éléments se servent-elles et comment font-elles leur lecture de ceux-ci ? Est-il vraiment possible de prévoir les fluctuations du précieux métal et comment ?

Ces dernières années, les sœurs Aden apparurent comme des visionnaires. Avaient-elles compris l'énigme des variations du prix de l'or, décelé les éléments d'une solution et mis la clé dans la bonne serrure ? En partie tout au moins. Elles ont fait, comme d'autres, un bout de chemin dans la bonne direction.

Tableau 28

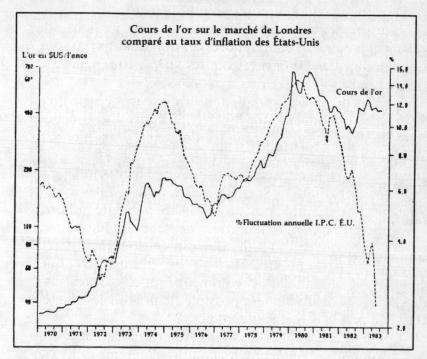

**Cours de l'or sur le marché de Londres
comparé au taux d'inflation des États-Unis**

L'or en $US/l'once

%

Cours de l'or

%Fluctuation annuelle I.P.C. É.U.

Ce tableau montre le rythme de la hausse du prix de l'or, ses mouvements parfois vifs ou, à d'autres moments, imperceptibles. Il indique surtout la prévisibilité de la direction du mouvement. Depuis plus de 10 ans, le prix de l'or fluctue en relation directe avec le taux d'inflation aux États-Unis. En plus d'être une illustration de la corrélation étroite et positive qui existe entre le taux d'inflation et le prix de l'or, ce tableau nous démontre que pour évaluer la fluctuation du prix de l'or, nos regards doivent se porter surtout vers les États-Unis, à cause de la forte influence que la conjoncture de ce pays exerce sur le reste du monde.

L'économie américaine représente 40% à 45% du produit global de la zone de l'O.C.D.E. Cette harmonie entre l'inflation et le prix de l'or existe depuis qu'on a levé la restriction imposée aux Américains sur leurs investissements dans ce métal. Il ne semble pas que ce soit une pure coïncidence.

Trois facteurs intimement liés interviennent et provoquent les poussées : l'inflation, la haute conjoncture économique, la demande industrielle. La présence des trois en même temps a toujours entraîné de très fortes hausses. Ceux qui ont tenté jusqu'à présent de prévoir les fluctuations du prix de l'or sans considérer tout le panorama ont fait fausse route.

Bien que la production ne soit pas élastique, une augmentation de la demande industrielle ne se traduit pas par une hausse automatique du prix si, au même moment, se relâchent les goussets des réserves accumulées depuis des siècles. À cause du manque d'élasticité de la production, lorsqu'en période de haute conjoncture la demande industrielle augmente et qu'en même temps les investisseurs recherchent le précieux métal comme refuge pour pallier à l'inflation, le prix explose inévitablement. La haute conjoncture économique, la demande industrielle et l'inflation vont souvent de pair. Ils sont intimement liés et l'expérience démontre qu'on ne peut isoler l'un et l'autre. À la dernière phase du cycle expansionniste, une excroissance se forme, s'alimente elle-même, se développe et envahit tout le milieu. Pour enrayer cette contagion infectieuse, les « grands sorciers » injectent des éléments récessionnistes. Mais avant que n'apparaissent les effets de la cure, beaucoup ont fui la monnaie de papier et envahi le marché de l'or, refuge idéal depuis des siècles.

Le financier international muni d'immenses liquidités doit les investir en une monnaie qui n'est pas grugée jour après jour. Le dollar américain dévaluant, il trouve refuge ailleurs ; il fuit le dollar et il le fait au moment où l'inflation aux États-Unis empiète sur sa valeur.

On a l'habitude de dire que le prix de l'or monte ; en fait, le prix de l'or et l'inflation sont tellement reliés qu'on devrait plutôt dire qu'il y a dévaluation de la monnaie de papier. En 1983, l'inflation est maîtrisée, le dollar américain atteint des sommets, le prix de l'or baisse. Le refuge indiqué, c'est le dollar ; à ce moment, l'inflation rampe. Mais le revirement ne saurait tarder, l'inflation rejaillira. Car elle tire sa source au cœur même de l'être humain et elle survivra tant qu'on laissera aux hommes la possibilité d'être encore des humains. La majorité des gens satisfont leurs besoins en relation directe avec l'argent disponible. Si on donne plus de monnaie aux gens, la quantité nécessaire à l'achat perd de son importance. On ne cherche plus à acheter là où les prix sont les plus bas, on ne magasine plus, on achète. La monnaie circule plus vite.

Depuis 1968, l'or se transige sur les marchés et son prix oscille selon les cycles économiques. Un cycle dure environ 5 ans : trois années d'inflation et deux années de récession. Les prix déclinent toujours plus vite qu'ils ne montent. Le prix de l'or évolue selon l'inflation et, depuis 1971, date de la démonétisation de l'or, il suit le rythme de l'inflation aux États-Unis. En somme, les moments de hausse du prix de l'or ne font que souligner très ostensiblement les créations excessives de monnaie de papier : c'est un constat de confiance. La monnaie de papier, c'est une promesse à couverture très fractionnaire, et les garanties de promesse baissent parfois beaucoup. (L'once d'or devrait valoir environ 2000 $ U.S. pour que le dollar soit couvert à 100%.)

Quand on multiplie à un rythme effréné les déficits gouvernementaux, on manque d'or mais on trouve du papier et de l'encre. On sème les graines de la prochaine explosion inflationniste en acceptant une explosion de la masse monétaire. Les folles hausses suivront.

En pointant d'une façon aussi précise les moments forts du marché de l'or, les sœurs Aden se sont distinguées parmi les membres du club des spécialistes. En plus d'identifier l'inflation comme principale influence, elles ont dégagé les revirements à l'aide des cycles et évalué l'ampleur des variations en prévoyant les taux d'inflation. Les dettes, carburant de l'inflation, propulsent celle-ci ; elle-même et l'expectative dans laquelle on est de l'inflation alimentent les mouvements du prix de l'or. Les sœurs Aden illustrent leurs pronostics à l'aide des tableaux suivants :

Tableau 29

CPI INFLATION RATE VELOCITY INDEX

CHART 1

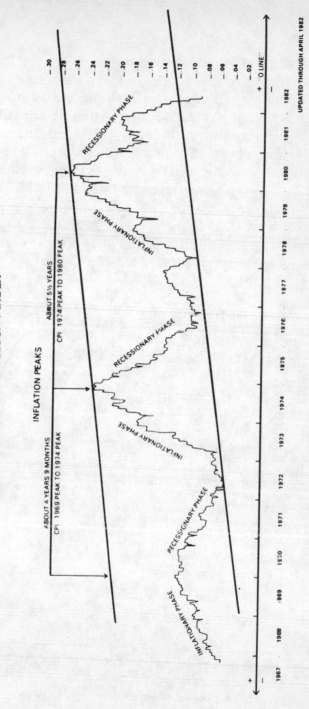

INFLATION PEAKS

ABOUT 4 YEARS 9 MONTHS
CPI 1969 PEAK TO 1974 PEAK

ABOUT 5½ YEARS
CPI 1974 PEAK TO 1980 PEAK

RECESSIONARY PHASE

INFLATIONARY PHASE

RECESSIONARY PHASE

INFLATIONARY PHASE

RECESSIONARY PHASE

INFLATIONARY PHASE

— 30
— 28
— 26
— 24
— 22
— 20
— 18
— 16
— 14
— 12
— 10
— 08
— 06
— 04
— 02

+ "O LINE"
—

1967 1968 1969 1970 1971 1972 1973 1974 1975 1976 1977 1978 1979 1980 1981 1982

UPDATED THROUGH APRIL 1982

185

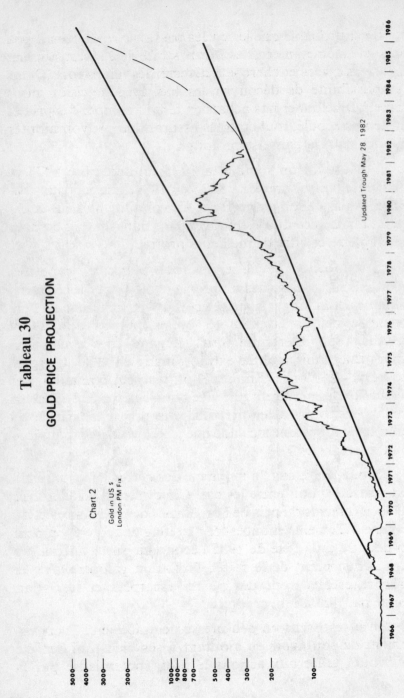

Tableau 30

GOLD PRICE PROJECTION

Chart 2

Gold in US $
London PM Fix

Updated Trough May 28 1982

186

Il est probable que les cycles passés se répéteront à peu près aux mêmes intervalles. Notre stratégie d'investissement colle aux cycles et cherche à détecter les temps forts. Mais l'impossibilité de découvrir les bas avec précision nous force à échelonner nos achats en tenant compte des prix et du temps écoulé, tout en nous assurant de pouvoir ajouter des achats si la baisse se prolonge.

L'or atteint un sommet à 197 $ en décembre 1974 et touche un autre sommet à 850 $ en 1980. L'argent suit à la trace les pas de son grand-frère. La volatilité plus élevée du métal blanc accentue les mouvements dans un sens comme dans l'autre et offre de meilleurs profits.

Les théories keynésiennes ont bousculé les cycles économiques, mais elles n'ont pas rejeté toutes les caractéristiques de la longue histoire économique antérieure à l'ère keynésienne. En étudiant les cycles du prix de l'argent depuis 1850, Gertrude Shirk dégagea des cycles qui annonçaient une montée extraordinaire en 1980. L'argent atteignit 49 $ l'once (Bunker Hunt y a peut-être aidé). Les mêmes cycles prévoient une vive poussée du métal à l'été de 1985. (Les sœurs Aden prévoient des prix tellement élevés pour cette prochaine escalade que je trouve leurs prédictions plutôt irréalistes.)

Depuis vingt ans, la moyenne des cycles inflationnistes enregistre 54 mois entre les bas. Ces cycles coïncident avec les mouvements du prix de l'or. Armés de ces données et du bagage d'éléments énoncés tout au long de ce livre, on peut en déduire qu'à l'été de 1985 l'économie surchauffera, ou sera sur le point de le faire ; l'inflation galopera, l'or et l'argent escaladeront des pentes escarpées et le dollar, rongé par l'inflation, croupira.

Un investisseur un peu pressé peut accélérer l'accroissement de son avoir en ajoutant à ses biens qui ont été multipliés grâce aux actions le profit potentialisé par la poussée du prix de l'or ou de l'argent ; et ceci à l'intérieur du même cycle économique.

L'existence d'une corrélation étroite et positive entre l'inflation et le prix de l'or permet à l'investisseur d'agencer ses placements pour bénéficier à la fois du cycle boursier et de celui de l'or. En effet, les titres boursiers n'enregistrent pas les grandes poussées au même moment que les métaux précieux.

L'écoulement de deux années depuis le dernier grand creux boursier (août 1982) aura permis à l'investisseur de dégager tous ses capitaux du secteur des actions. À ce moment, les grandes poussées boursières ont déjà été enregistrées, le marché végète et n'enregistre pas vraiment de gains extraordinaires. Par contre, les métaux précieux se préparent à leur folle chevauchée cyclique. Ils ne sont plus à un bas, puisque celui-ci a été enregistré avant que l'inflation ne recommence sa marche ascendante. Mais le moment intéressant approche. À la bourse, il faut commencer à acheter avant que la tendance ne se renverse, mais ce n'est pas le cas pour l'achat de l'or. Le prix du métal stagne pendant de longues périodes et attend l'inflation, la haute conjoncture économique et la demande industrielle. Lorsque la contagion inflationniste pénètre le milieu financier, l'or apparaît comme une bouée de sauvetage pour les détenteurs de ces dollars en perdition.

Les mêmes remarques s'appliquent à l'achat de l'or qu'à l'achat d'actions : quand la majorité des conseillers sont pessimistes, c'est le temps d'acheter. L'explication donnée, quand il s'agissait des actions, relevait de l'interprétation de l'environnement économique dans lequel étaient plongés les conseillers : leur immersion dans un bain dépressif les teintait. Le même phénomène d'osmose s'applique-t-il quand il s'agit de l'or ?

Contrairement aux actions, l'or est très bas ou il est en baisse quand l'économie progresse. Il n'y a pas à ce moment un pessimisme généralisé. Pour cette raison, l'or ne semble pas tellement indiqué à ce moment ; mais l'investisseur se trompe. D'ailleurs, l'un des grands experts de ce domaine affirme que la méthode la plus sûre pour détecter les revirements ou les moments propices pour acheter de l'or consiste à observer les conseillers : lorsque 5 sur 6 d'entre eux sont pessimistes, c'est le bon moment. Par contre, au même moment, les statistiques compilées sur les agissements des initiés indiquent que la plupart d'entre eux achètent précisément à ce moment les métaux précieux ou leurs titres.

Comme pour les actions, il faut agir à l'inverse de la masse. L'histoire se répète et se répétera sans doute longtemps encore...

À l'été 1984, les États-Unis maintiennent des taux d'intérêt élevés, le déficit budgétaire est compensé par l'afflux de dollars, la valeur du dollar atteint des sommets, l'économie n'est pas relancée au maximum et l'inflation semble maintenant endiguée.

La Banque centrale américaine poursuit une politique d'expansion des agrégats monétaires dans les limites tolérables. L'activité économique garde un rythme d'expansion modéré, le haut niveau des taux d'intérêt constituant une force disciplinaire.

De plus, la flambée inflationniste ne point pas encore à l'horizon et le prix de l'or se maintient à 350 $ US. L'inflation est toutefois une maladie contagieuse et elle reprendra. La flambée sera de toute évidence moindre que celle du cycle précédent. La poudre magique des grands sorciers aura pour un moment apaisé les instincts d'un public trop bien nourri.

À LA BOURSE, ON NE FAIT PAS D'ARGENT
QUAND ON VEUT, MAIS ON PEUT, AUX
MOMENTS PROPICES, CHOISIR D'EN FAIRE ET
D'EN FAIRE BEAUCOUP. ON PEUT DÉCOUVRIR
CES MOMENTS. DANS CE LIVRE, J'AI INDIQUÉ
COMMENT ON PEUT ARRIVER À LES
RECONNAÎTRE ET À EN TIRER LE PLUS GRAND
PROFIT.

BIBLIOGRAPHIE

COSTON, Henry. *Les financiers qui mènent le monde*, Paris, La Librairie française, 1956, 364 pages.

DEHEM, Roger. *Initiation à l'économie*, Québec, Les Presses de l'Université Laval, 1967, 275 pages.

DURAND, Michel. *La Bourse*, Paris, Éditions La Découverte/Maspero.

FAY, Stephen. *Beyond Greed*, New York, Penguin Books, 1983, 304 pages.

Lipscomb and Libey, *On Gold*, Dckalb, Illinois, The Waterleaf Press, 1983, 431 pages.

GRANDVILLE, Joseph E. *New Strategy of Daily Stock Market Timing*, Englewood Cliffs, N.J., Prentice Hall Inc., 1980, 340 pages.

HORNBOSTEL, Henry. *Le Drame monétaire*, lieu, Éditions Albert Lévesque, date, nombre de pages.

JOREYESS, Vaoy et Henri CUZYRSH. *Investir dans l'or*, McLeod, Young, Weir, Toronto, 26 pages.

SAMUELSON, Paul A. *Economics*, New York, McGraw Hill Books Company Inc., 1958, 786 pages.

SOBEL, Robert. *Inside Wall Street*, New York, W.W. Norton & Company Inc.

TOBIAS, Andrew. *The Only Investment Guide You'll Ever Need*, New York, Bantam Book Inc., 1979, 182 pages.

J'ai trouvé la volonté et l'énergie pour mener ce travail grâce au soutien de mon ami Louis Fortin qui a gracieusement uni ses efforts aux miens pour me permettre de rendre ce livre à terme.

Georges LABRECQUE